Gabriele Scholtes

mit Beiträgen von Ferdinand Klein

Die Frage nach dem Sinn

Gelebte Logotherapie im Dialog mit anthroposophisch-sozialen Handlungsfeldern

Edition Anthropos
Heilpädagogik und Sozialtherapie aus anthroposophischen Perspektiven

Herausgegeben von Jan Göschel

Band 10

Gabriele Scholtes
mit Beiträgen von Ferdinand Klein

Die Frage nach dem Sinn

Gelebte Logotherapie im Dialog mit anthroposophisch-sozialen Handlungsfeldern

VERLAG AM GOETHEANUM & ATHENA | wbv

Verlag am Goetheanum, Dornach, Hügelweg 53, CH-4143 Dornach,
info@goetheanum-verlag.ch
goetheanum-verlag.ch
wbv Publikation – ein Geschäftsbereich der wbv Media GmbH & Co. KG,
Auf dem Esch 4, 33619 Bielefeld, service@wbv.de
wbv.de

Ein ATHENA-Titel bei wbv Publikation

Gesamtherstellung: Verlag am Goetheanum

Umschlaggestaltung: Wolfram Schildt, Berlin

ISBN (Print) 978-3-7235-1779-6 (Verlag am Goetheanum)
ISBN (E-Book) 978-3-7235-1780-2 (Verlag am Goetheanum)
ISBN (Print) 978-3-7639-7881-6 (wbv | ATHENA)
ISBN (E-Book) 978-3-7639-7882-3 (wbv | ATHENA)

Printed in Germany

Bibliografische Information der Deutschen Nationalbibliothek
Die Deutsche Nationalbibliothek verzeichnet diese Publikation in der Deutschen Nationalbibliografie; detaillierte bibliografische Daten sind im Internet über http://dnb.d-nb.de abrufbar.

Inhalt

Vorwort

Die Frage nach dem Sinn des Lebens ist eine der zentralen Themen der Philosophie und der Menschheit. Obwohl sie in unserer postmodernen Gesellschaft zum einen an Bedeutung verliert, scheint sie doch in anderer Form weiterhin latent omnipräsent zu sein und drängt sich geradezu auf: «Hat das Leben einen Sinn?», «Was ist sinn-voll, was sinn-widrig?» oder «Lohnt es sich, sich für irgendetwas zu engagieren?» Ethisch interpretiert verbirgt sich darin auch die Frage nach dem «guten Leben».

Sinn und Sinnhaftigkeit manifestieren sich in dem Bestreben, Selbstwirksamkeit zu generieren, sei es in reflektierter Vorausschau oder Rückschau. Die Suche nach Sinn ist daher eine Frage der Orientierung oder auch der Versuch, das Gegenwärtige, Situative und Fragmentarische in ein Sinn-Ganzes einzuordnen und sich dabei des eigenen Standpunktes bewusst zu werden.

Werte-Dilemmata

Die Frage nach dem Sinn ist zudem eng mit der Frage nach der Bedeutung und dem Wert des Lebens sowie der menschlichen Identität verbunden. Es ist eine weit verbreitete Neigung, die Erfahrungen des eigenen Lebens in eine kohärente Erzählung, in ein «Narrativ», zu transformieren. In dieser jeweils persönlichen «redaktionellen Arbeit», wie wir sie beispielsweise bei Sören Kierkegaard beschrieben finden, bleibt jedoch in der Regel eine Diskrepanz zwischen den tatsächlichen Erlebnissen und dem Sinn-Horizont der konstruierten Geschichte.

Der Philosoph Dieter Thomä betont, dass wir uns mit der Fragmentierung der Lebensgeschichte abfinden und akzeptieren sollten, dass es nicht möglich sei, unsere Biografie in einer linearen Erzählung zu begreifen. Vielmehr sollten wir uns mit der Tatsache begnügen, dass unsere Erinnerungen und Erfahrungen fragmentarisch sind. Gerald Hüther wiederum erklärt aus neurobiologischer Perspektive, dass das Lernen eines Metakonzeptes erforderlich ist, welches neue Erfahrungen in bestehende, sich dadurch transformierende Kohärenz integriert und zugleich Identitätsbewusstsein und ein Bewusstsein von Würde konstituiert.

Was tun?

Zurückkehren zu den Ursprüngen der Philosophie, zum weisheitsliebenden Staunen Platons oder dem Zweifel der Skeptiker, die betonen, dass keine Lebenserfahrung als sicher betrachtet werden kann, da die Sicherheit der Erfahrung nicht gewährleistet ist?

Kann die Flucht in die Vorstellung einer vermeintlichen Absurdität und Bedeutungslosigkeit des Lebens, wie sie als eine Lesart des französischen Existenzialismus interpretiert werden kann, ein Weg sein? Oder etwa Peter Sloterdijks Verzicht auf Sinn, verbunden mit der Gefahr, sich im Strom von Sein und Werden zu verlieren?

Vielleicht lieber doch angesichts des Konsum-Überflusses in unseren Breitengraden eine «Sinn-Diät» absolvieren, wie Rebekka Reinhard sie in ihrem Buch mit dem gleichnamigen Titel empfiehlt?

Logotherapie als Lebenshaltung

Der Wiener Psychiater Viktor E. Frankl (1905-1997) ist ein renommierter Experte auf dem Gebiet der Sinnforschung. Er gilt als Begründer der Logotherapie (griech. *λόγος, lógos* bedeutet unspezifisch ‹Wort› und ‹Rede› aber auch deren Inhalt: ‹Sinn›), einer sinnzentrierten psychotherapeutischen Methode, die den Menschen in seiner personalen Existenz anspricht. Frankl versteht seine Behandlungsweise als ein Konzept, das sich auf Wertbildung und Sinnerfüllung bezieht. Als «Logotherapie und Existenzanalyse» (zusammengesetzt aus: lat. *exsistere*: ‹hervor-›, ‹heraus-› oder ‹gegenübertreten›, ‹vorhanden sein› und *analysis*: ‹Zerlegung›, hier aber mehr als ‹Untersuchung› verstanden) umfasst sein Ansatz die Person- und Daseinsdimension und betont insbesondere das Streben nach Sinn als fundamentale menschliche Antriebskraft.

Viktor Frankl lebte in den zwanziger Jahren des zwanzigsten Jahrhunderts als Neurologe und Psychiater in Wien. Zunächst pflegte er persönliche Kontakte zu Sigmund Freud und Alfred Adler, wandte sich aber alsbald von deren Konzepten ab. Frankl stellt Freuds zentralem psychoanalytischem Motiv des Menschen mit einem «Willen zur Lust» und Adlers Individualpsychologie mit der Annahme eines «Willens zur Macht» seinen eigenen Theorieentwurf entgegen. Er versteht demgegenüber den Menschen als ein Wesen mit einem «Willen zum Sinn». Daher kann Frankls Ansatz der Logotherapie und Existenzanalyse aus der Opposition zur Zeitströmung des reduktiven Psychologismus und Biologismus zu Beginn des zwanzigsten Jahrhunderts begriffen werden. Mit der Überwindung des Psychologismus in der Psychotherapie durch die Ergänzung der Dimension des Geistes setzt er die spezifisch menschliche Suche nach Sinnmöglichkeiten über alle sonstigen Bedürfnisse. Lange vor der Publikation des Konzepts der Salutogenese durch Aaron Antonovsky in den 1970er-Jahren fragt Frankl bereits nach den gesund erhaltenden Aspekten des Menschen und wie es ihm gelingen kann, Leid zu bewältigen. In Frankls Anthropologie ist der Mensch angesichts seiner Personalität ein intentionales, weltoffenes und entscheidungsfähiges Wesen, das zu sich selbst Abstand nehmen kann und nach etwas sucht: etwa nach einem Sinn, den es zu erfüllen gilt, sich beispielsweise für andere Menschen zu engagieren oder auch einer metaphysischen Dimension zu dienen. Sinnfindung ist nach Frankl prinzipiell jedem Menschen – unabhängig von Intelligenz, vom Bildungsgrad, der Geschlechtszugehörigkeit oder von seinem Alter – gegeben.

Als Person bleibt der Mensch immer ein Geheimnis, das weder durch Klassifizierungen noch Reduktion auf psychische Mechanismen allein zu begreifen ist. Frankls Ansatz der Logotherapie ist gekennzeichnet durch einen tiefen Respekt vor der Würde des Menschen, dessen Gewissen, Sinn und Verantwortlichkeit. Zugleich werden jedoch auch die tragischen Ereignisse von Leid, Schuld und Tod im Leben eines jeden Menschen nicht außer Acht gelassen. Damit leistet er einen signifikanten Beitrag zur Betrachtung elementarer anthropologischer wie ethischer Fragestellungen in human- und sozialwissenschaftlichen Disziplinen. Das Welt- und Menschenverständnis Viktor Frankls hat einen großen Einfluss auf viele gesellschaftsrelevante Gebiete und kann in den verschiedenen fachpraktischen Feldern Handlungsorientierung bieten. Nicht zuletzt hat es das Potenzial, den Alltag als Lebensform zu durchdringen («gelebte Logotherapie», Elisabeth Lukas).

Im Zentrum dieser Publikation steht die Arbeit Viktor Frankls, welche aus der Perspektive einer anthroposophisch orientierten Heilpädagogik und Sozialtherapie betrachtet wird. Es wird deutlich, dass das Konzept der Logotherapie mit einem anthroposophischen Ansatz nicht nur innerlich kongruent und kohärent ist, sondern diesen auch komplementär auf fruchtbare Weise ergänzen und erweitern kann (Jan Göschel).

Nach einer Einführung in essenzielle Grundgedanken der Logotherapie und Existenzanalyse werden Auswirkungen auf verschiedene fachpraktische Felder ergründet. Zunächst wird die Logotherapie mit anthroposophischer Sozialtherapie in einen Zusammenhang gebracht und zentrale Parallelen erörtert, um voneinander Aufschluss und Inspiration zu gewinnen. Im Anschluss daran arbeitet Ferdinand Klein in zwei Beiträgen den Einfluss der Logotherapie auf die Kindheitspädagogik aus.

Beiträge über die gesellschaftliche Signifikanz der Logotherapie hinsichtlich der Lebensphase Alter und deren Bedeutung zur Schlichtung von Eskalationsprozessen in Konflikten runden den Kanon der Aufsätze ab.

Die vorliegende Publikation ist das Resultat einer Kooperation zwischen Ferdinand Klein und mir, die durch unsere gemeinsame Verbundenheit mit der Logotherapie motiviert wurde. Ich schätze mich glücklich, dass Ferdinand Klein den Anstoß für die Erstellung dieses Bandes gab und zwei Beiträge als Gastautor beisteuert.

An dieser Stelle möchte ich meinen beiden Lehrerinnen Elli Kobela und Sabine Rettinger (ILOPP) danken, die mich mit ihrer Begeisterung für Viktor Frankls Anthropologie gewinnen konnten und nachhaltig überzeugt haben. Ein weiterer Dank gilt meiner Familie für ihre Geduld und die stets kritischen wie anregenden Nachfragen.

Meinen tiefsten Respekt möchte ich jedoch den Menschen aussprechen, mit denen ich seit vierzig Jahren in Gemeinschaft zusammenleben darf. Ich bin ihnen zu großem Dank verpflichtet, da sie mir zahlreiche Impulse und Anregungen für das soziale Miteinander sowie die Reflexion über das Menschsein gegeben haben. Ihre Originalität, ihr Nonkonformismus und ihr Mut sind mir immer wieder Vorbild angesichts eines Lebens unter erschwerten Bedingungen und ihres oftmals beherzten «Trotzdem Ja zum Leben sagen».

Gabriele Scholtes

Einleitung

Viktor E. Frankl (1905–1997) gilt als Begründer der Logotherapie und Existenzanalyse. Das spezifische Konzept erschließt sich aus der zeitlichen Einordnung der Entstehung seines Theorieentwurfs und seinen persönlichen Erfahrungen als Überlebender verschiedener Konzentrationslager in der Zeit des Nationalsozialismus. Daher können Frankls Leben und Werk nicht getrennt voneinander betrachtet werden. Logotherapie und Existenzanalyse sind kein abstraktes Konzept, sondern inhaltlich Gedachtes und praktisch Gelebtes fallen in eins. Frankl hat seinen ideellen Entwurf selbst existenziell durchlitten, und seine Erkenntnisinhalte sind eng mit seiner verkörperten Existenz verwoben. Diese Haltung überzeugt durch Vorbildwirkung und Authentizität.
In seiner Publikation … *trotzdem Ja zum Leben sagen* (Frankl ²2002) fasst Frankl sein Erleben aus vier Konzentrationslagern zusammen, in denen er vorzugsweise in der Krankenbetreuung oder psychologischen Beratung eingeteilt war. Wenngleich diese Lager auch für ihn Stationen des Abschieds bedeuteten – er verlor die Eltern, seine Ehefrau, die Schwiegermutter und den Bruder, auch das Manuskript der ersten Fassung seiner Monografie *Ärztliche Seelsorge* (Frankl ⁹2019), die er in den Mantelsaum eingenäht hatte, musste er hergeben –, so war es sein Prinzip der fundamentalen Hoffnung und Anerkennung einer bedingungslosen Menschenwürde, das ihm selbst und den Mitgefangenen in den schweren Momenten äußerster Verzweiflung Kraft gab.

Frankl lebte in den zwanziger Jahren des zwanzigsten Jahrhunderts als Neurologe und Psychiater in Wien. Zunächst pflegte er persönliche Kontakte zu Sigmund Freud und Alfred Adler, wandte sich aber alsbald von deren Konzepten ab. Frankl stellt Freuds zentralem psychoanalytischem Motiv des Menschen mit einem «Willen zur Lust» und Adlers Annahme eines «Willens zur Macht» seinen eigenen Theorieentwurf entgegen. Er versteht demgegenüber den Menschen als ein Wesen mit einem «Willen zum Sinn». Daher kann Frankls Ansatz der Logotherapie und Existenzanalyse aus der Opposition zur Zeitströmung des reduktiven Psychologismus und Biologismus zu Beginn des zwanzigsten Jahrhunderts begriffen werden. Mit der Überwindung des Psychologismus in der Psychotherapie durch die Ergänzung der Dimension des Geistes setzt er die spezifisch menschliche Suche nach Sinnmöglichkeiten über alle sonstigen Bedürfnisse. Lange vor der Publikation des Konzepts der Salutogenese durch Aaron Antonovsky in den 1970er Jahren fragt Frankl bereits nach den gesund erhaltenden Aspekten des Menschen und wie es ihm gelingen kann, Leid zu bewältigen. In Frankls Anthropologie ist der Mensch angesichts seiner Geistigkeit ein intentionales, weltoffenes Wesen, das nach etwas sucht: etwa nach einem Sinn, den es zu erfüllen gilt, beispielsweise etwas für andere Menschen zu tun oder auch Gott zu dienen (Frankl & Kreuzer [4]1997, S. 32 ff.). Sinnfindung ist nach Frankl prinzipiell jedem Menschen – unabhängig von Intelligenz, vom Bildungsgrad, der Geschlechtszugehörigkeit oder von seinem Alter – gegeben (ebd., S. 33).

Als Person bleibt der Mensch jedoch immer ein Geheimnis, das weder durch Klassifizierungen noch durch Reduktion auf psychische Mechanismen allein zu begreifen ist. Frankls Ansatz der Logotherapie und Existenzanalyse ist gekennzeichnet durch einen tiefen Respekt vor der Würde des Menschen, dessen Gewissen, Sinn und Verantwortlichkeit. Zugleich werden jedoch auch die tragischen Ereignisse von Leid, Schuld und Tod im Leben eines jeden Menschen nicht außer Acht gelassen. Damit leistet er einen signifikanten Beitrag zur Betrachtung elementarer anthropologischer wie ethischer Fragestellungen in human- und sozialwissenschaftlichen Disziplinen. Das Welt- und Menschenverständnis Viktor Frankls hat einen großen Einfluss auf viele gesellschaftsrelevante Gebiete und kann in den verschiedenen fachpraktischen Feldern Handlungsorientierung bieten. Nicht zuletzt hat es das Potenzial, den Alltag als Lebensform zu durchdringen («gelebte Logotherapie», Elisabeth Lukas).

In diesem Band werden nach einer Einführung in essenzielle Grundgedanken der Logotherapie und Existenzanalyse Auswirkungen auf verschiedene fachpraktische Felder ergründet. Zunächst werden Logotherapie und Existenzanalyse (LuE) und anthroposophische Sozialtherapie in einen Zusammenhang gebracht und zentrale Parallelen erörtert, um voneinander Aufschluss und Inspiration zu gewinnen.

Im Anschluss daran arbeitet Ferdinand Klein in zwei Beiträgen den Einfluss der LuE auf die Kindheitspädagogik aus.

Beiträge über die gesellschaftliche Signifikanz von LuE hinsichtlich der Lebensphase Alter und ihrer Bedeutung zur Schlichtung von Eskalationsprozessen in Konflikten runden den Kanon der Aufsätze ab.

Viktor Frankl – ein Zeitzeuge des 20. Jahrhunderts

Das Wien des Fin de Siècle

Das Wien zu Beginn des zwanzigsten Jahrhunderts gilt als Weltstadt und Nabel vielfältiger kultureller Erneuerungen. Hier leben zu dieser Zeit insgesamt über zwei Millionen Menschen mit einem Migrationsanteil von ca. 65 %. Die – höchst diverse – jüdische Bevölkerung macht etwa 10 % aus und lebt vorzugsweise im Viertel Leopoldstadt. Damit ist Wien ein brodelndes multiethnisches Zentrum.

Nach der Wende des 19. zum 20. Jahrhundert herrscht naturwissenschaftlich wie technisch insbesondere in der westlichen Hemisphäre eine Zeit des Aufbruchs und der Erwartung großer Errungenschaften. In den Wiener Caféhäusern erblüht die *Wiener Moderne*. Hier wird nicht nur bedeutende Literatur und Kunst vorgestellt und diskutiert, sondern diese Salons sind ein beliebter Treffpunkt für anarchistische, politische oder spiritistische Interessensgruppen ebenso wie für bedeutende Mediziner, die mitunter die bahnbrechenden Erkenntnisse Sigmund Freuds und Alfred Adlers erörtern. Somit kann Wien als die Wiege der Psychoanalyse bezeichnet werden.

Zugleich aber gehen mit dieser Zukunftseuphorie auch diffuse Ängste, Endzeitstimmung und ein allgemeines Krisenempfinden einher. Österreich-Ungarn steht kurz vor dem Zusammenbruch. Alte Sozialstrukturen sowie tragende Grundwerte der maßgeblichen gesellschaftlichen Klassen sind gesprengt, und die Kirche hat massiv an Einfluss verloren. Der Kapitalismus hat längst Einzug gehalten, während Friedrich Nietzsche angesichts seiner allgemeinen Kritik am Bürgertum Gott bereits seit Jahrzehnten für tot erklärt und den Nihilismus beschwört. In der gesamten westlichen Welt gewinnt der Sozialdarwinismus zunehmend an Einfluss, und es reüssieren Publikationen über die Vorherrschaft der weißen Rasse als die überlegene zuhauf (Kohn 1979).

Stationen

In diesem kulturellen und ethnischen Schmelztiegel kommt Viktor Emil Frankl am 26. März 1905 als zweites von drei Kindern der aufgeklärten jüdischen Eheleute Gabriel und Elsa Frankl im Wiener Stadtviertel Leopoldstadt zur Welt. Hier verbringt er seine Kindheit und Jugend in der beengten elterlichen Wohnung in der Czerningasse Nr. 6, bis er als junger Erwachsener von den Nationalsozialisten in das Ghetto Theresienstadt deportiert wird. Da in Leopoldstadt zu dieser Zeit viele Juden leben, ist die Familie Frankl einem verhaltenen Antisemitismus ausgesetzt. Dennoch dringen die Anfeindungen in sämtliche Lebensbereiche der damaligen jüdischen Bevölkerung, und niemand bleibt letztlich davon verschont. Im Rückblick auf diese Zeit resümiert Frankl später jedoch, er habe sich trotz des Antisemitismus in seiner Kindheit immer sicher und geborgen gefühlt:

> «In der Kindheit wurde mir ein Gefühl der Geborgenheit selbstverständlich nicht durch philosophische Überlegungen und Erwägungen geschenkt, sondern vielmehr durch die Umgebung, in der ich lebte. Ich muss fünf Jahre alt gewesen sein, als ich – und ich halte diese Kindheitserinnerung für paradigmatisch – an einem sonnigen Morgen in der Sommerfrische in Hainfeld erwachte. Während ich die Augen noch geschlossen hielt, wurde ich von dem unsäglich beglückenden und beseligenden Gefühl durchflutet, geborgen, bewacht und behütet zu sein. Als ich die Augen öffnete, stand mein Vater lächelnd über mich gebeugt.» (Frankl [2]2020, S. 15 f.)

Man kann Viktor Frankl nicht nur als einen beredten Zeugen des gesamten zwanzigsten Jahrhunderts sehen, wenn er am 2. September 1997, wiederum in Wien, verstirbt, sondern auch als Zeitzeugen, nicht nur der Gräuel des Nationalsozialismus, sondern von nahezu hundert Jahren Entwicklung und Fortschritt der tiefenpsychologischen und psychotherapeutischen Bewegung. Er wächst im Einflussbereich der innovativen und bahnbrechenden Entdeckungen der ersten psychologischen Schulen auf, deren Gründer Sigmund Freud und Alfred Adler quasi in Viktors Nachbarschaft leben:

> «Ich bin in der Czerningasse Nummer 6 geboren, und wenn ich mich richtig erinnere, erzählte mein Vater einmal, dass auf Nummer 7, also schräg gegenüber, eine Zeitlang Dr. Alfred Adler, der Begründer der Individualpsychologie, gewohnt habe. Der Geburtsort der Dritten Wiener Richtung, der Logotherapie, ist also nicht weit entfernt von dem der zweiten Wiener Richtung, Adlers Individualpsychologie.» (ebd., S. 13)

Schule und Studium

Bereits in jungen Jahren befasst Frankl sich mit der Frage nach dem Sinn. Er ist ein aufgeweckter Schüler mit ausgesprochenem Interesse für die essenziellen Fragen des Lebens und beschäftigte sich – neben philosophischen Studien – mit der Tiefenpsychologie, die er in Volkshochschulkursen kennenlernt. Nach einer Korrespondenz mit Sigmund Freud, die sogleich zur Veröffentlichung eines Aufsatzes in der *Internationalen Zeitschrift für Psychoanalyse* führt, hält Frankl erstmals in der Volkshochschule einen öffentlichen Vortrag *Über den Sinn des Lebens*.

Als Student der Medizin nähert Frankl sich Alfred Adlers individualpsychologischer Initiative und nimmt aktiv an dessen Caféhaustreffen teil. Er bewegt sich zusehends in sozialdemokratischen Kreisen und übernimmt aufgrund seines ausgeprägten Gerechtigkeitssinns die Leitung der Sozialistischen Mittelschüler Österreichs. Später engagiert er sich für Hilfsprogramme mit dem Aufbau von Beratungsstellen für Jugendliche, die über die Grenzen Österreichs hinaus für Aufmerksamkeit sorgen. Mit einer aufsehenerregenden Aktion zur Zeit der Zeugnisausgabe kann Frankl die hohe Suizidrate unter Wiens Schülerschaft drastisch reduzieren.

Mit Anfang zwanzig beginnt er eine rege Vortragstätigkeit in Österreich, Deutschland sowie der Tschechoslowakei und stellt erstmals sein Konzept des sinnzentrierten Ansatzes für die Psychotherapie mit dem Namen Logotherapie vor.

Nachdem er sich schon mit Sigmund Freud überworfen hatte, lässt der Konflikt mit Alfred Adler nicht lange auf sich warten, denn Frankl übt erhebliche Kritik an dessen grundlegenden Maximen, was schließlich zum Ausschluss aus der Adlergesellschaft führen soll.

Seinen Weg als Mediziner und Wissenschaftler beginnt Frankl nach seiner Promotion an der Wiener neurologischen Klinik Maria-Theresien-Schlössl. Das Patientenwohl ist ihm von Anfang stets ein Anliegen, und als Arzt vermisst er im Klinikalltag neben der somatischen Behandlung die psychische Betreuung der Patientinnen und Patienten. Die «ärztliche Seelsorge» versteht Frankl als eine grundlegende menschliche Pflicht und setzt damit einen ersten Impuls in der klinischen Psychologie und Psychotherapie. Seine Anliegen sind insbesondere der Beistand und die Hilfe gegen den weitverbreiteten Nihilismus seiner Zeit, weil dieser in der Folge zu Verzweiflung und Sinnlosigkeit führen kann. Zeitlebens kämpft er gegen die Gefahr des Reduktionismus als moderne Form des Nihilismus, der aus methodischen Gründen den therapeutischen Blick maßgeblich auf das pathologische Moment des Menschen richtet und nicht die Person im Zentrum des Interesses sieht.

> «Selbstverständlich kennen wir ihn [den Reduktionismus, G. S.] auch hierzulande – und nicht erst heute. Ich erinnere mich noch sehr genau daran, wie mein Mittelschulprofessor dozierte, das Leben sei ‹letzten Endes nichts als ein Verbrennungsprozess, ein Oxidationsprozess›, woraufhin ich – ich war damals 13 Jahre alt – aufsprang und ihm die Frage ins Gesicht schleuderte: ‹Wenn dem so ist – was für einen Sinn hat dann das Leben?› […] Der Reduktionismus ist der Nihilismus von heute.» (Frankl [7]2016, S. 14)

An anderer Stelle heißt es dann:

> «Das Sein wird des Sinns beraubt. Zugleich wird klar, woher es rührt, dass diese drei Spielformen des Nihilismus: Physiologismus, Psychologimus und Soziologismus – zur Erfahrung eines Sinns gar nicht gelangen *können*: In ihrer Weltsicht beschränken sie sich auf je eine Seinsschicht – auf das leibliche, das seelische

bzw. das gesellschaftliche Sein –, wobei sie jedoch gerade jenes Sein außeracht lassen, innerhalb dessen so etwas wie Intentionalität überhaupt erst zutage treten kann, – nämlich das geistige Sein.» (Frankl ^{4}2018, S. 163; Hervorhebung im Orig.)

Hier zeigen sich bereits zentrale Motive seines Lebenswerks, in dem Frankl sich dem Menschlichsten im Menschen, dem «spezifisch Humanen», respektive dem Noetischen (Geistigen) im Menschen widmet. Den tiefenpsychologischen und individualpsychologischen Ansätzen Freuds und Adlers gegenüber buchstabiert Frankl in seiner Logotherapie und Existenzanalyse die Idee eines sinnzentrierten Menschenverständnisses wissenschaftlich aus und bringt einen ganz eigenen Beitrag für die Bereiche der Psychotherapie, Beratung, Begleitung und Krisenprävention sowie -intervention.

Während der Zeit des Nationalsozialismus übernimmt Frankl die Leitung der Neurologischen Station am jüdischen Rothschild-Spital. Hier lernt er die Krankenschwester Tilly Grosser kennen, die er kurz darauf heiratet.

Trotz des hohen Risikos begibt er sich in die Gefahr, das Leben von Menschen mit geistiger oder auch psychischer Beeinträchtigung zu schützen, und mit Unterstützung von Freunden gelingt es ihm, das Euthanasieprogramm der Nationalsozialisten durch gefälschte Gutachten zu sabotieren.

Im Konzentrationslager

Viktor Frankl, der sich sein ganzes Leben lang mit existenziellen Fragen wie Sinn, Leid, Tod, Verzweiflung und Schuld beschäftigt, muss selbst in vier verschiedenen Konzentrationslagern physisch wie psychisch um sein Leben ringen. Für Vater und Mutter, denen er sich zeitlebens zutiefst verbunden fühlte, hat er die Möglichkeit seiner Ausreise in die USA verstreichen lassen und ist in Wien geblieben, was ihm später zum Verhängnis werden soll:

> «Ich hatte jahrelang auf ein Visum warten müssen, das mir die Einreise in die USA ermöglicht hätte. Endlich wurde ich kurz vor dem Eintritt der Vereinigten Staaten in den Krieg schriftlich dazu aufgefordert, im Konsulat der USA zu erscheinen und mir das Visum ausfertigen zu lassen. Da stutzte ich: Sollte ich meine Eltern allein zurücklassen? Ich wusste doch, welches Schicksal ihnen bevorstand: die Deportation in ein Konzentrationslager. Sollte ich also ihnen Adieu sagen und sie einfach diesem Schicksal überlassen?» (Frankl ^{2}2020, S. 101)

Eine Situation, die Frankl als Wink des Schicksals interpretiert, kommt ihm zu Hilfe und führt letztlich zur Entscheidung, die Eltern nicht im Stich zu lassen. Jahrelang hatte er auf ein Visum zur Einreise in die USA gewartet. Nach einer Aufforderung, im Konsulat zu erscheinen befallen ihn jedoch große Zweifel, denn ihm ist klar, dass den Eltern die Deportation in ein

Konzentrationslager bevorsteht. Nach einem ausgedehnten Spaziergang fällt sein Blick zu Hause auf ein Stück Marmor, das der Vater in den Trümmern der niedergebrannten Synagoge gefunden hatte. Es ist ein Stück von den Gesetzestafeln, und Viktor insistiert, auf welches Gebot sich der kaum mehr lesbare Schriftzug bezieht. Der Vater antwortet: «Ehre deinen Vater und deine Mutter, auf dass du lange lebest im Lande ...» Daraufhin entschließt Frankl sich, im Lande bei den Eltern zu bleiben, und lässt das Visum verfallen (ebd., S. 101 f.).

Auch im Konzentrationslager übernimmt er medizinische sowie psychotherapeutische Aufgaben und unterstützt zunächst die hoch traumatisierten Neuankömmlinge bei ihrer Ankunft und Anpassung an die Bedingungen im KZ. Nach zweieinhalb Jahren peinigender, auch selbst von Krankheit gezeichneter Lagerhaft, in der er sich während seiner Fleckfiebererkrankung mit der mentalen Niederschrift seiner verloren gegangenen *Ärztlichen Seelsorge* wach und am Leben hält, erfährt er nach seiner Entlassung innerhalb kurzer Zeit vom Tod seiner Mutter, des Bruders und der Ehefrau. Der Vater war bereits 1942 im Konzentrationslager Theresienstadt an Erschöpfung gestorben. Damit ist das Licht am Ende des Tunnels, der Sinn, der ihn während dieser gesamten grausamen Haft im Konzentrationslager am Leben erhalten hat, vernichtet, und Frankl fällt zunächst in tiefe Niedergeschlagenheit.

Wieder in Wien

Mit dem Trost und der ermutigenden Unterstützung in seinem Freundeskreis gelingt es ihm, das bereits vor dem Krieg entstandene, um das Kapitel über die Psychologie des Konzentrationslagers ergänzte Manuskript *Ärztliche Seelsorge* zu publizieren.

Fortan entwickelt Viktor Frankl ein rege Vortrags- und Publikationstätigkeit. Er wird Vorstand der Wiener Neurologischen Poliklinik und in seinem Buch mit dem späteren Titel *... trotzdem Ja zum Leben sagen* – das millionenfach und in über 20 Sprachen übersetzt erscheinen soll – seine leidvollen Erfahrungen im Konzentrationslager aktiv transformieren, in Frankls Worten «Leid zu Leistung» verwandeln.

Nach der Eheschließung mit Eleonore Schwindt 1947 und der Geburt der Tochter im gleichen Jahr widmet Frankl sich voll und ganz der weiteren Ausarbeitung seiner Logotherapie und Existenzanalyse. Er promoviert zum Doktor phil. mit der Schrift *Der unbewusste Gott* und nimmt anschließend eine Dozententätigkeit für Neurologie und Psychiatrie an der Universität Wien auf. Inzwischen ist auch die Bezeichnung der Dritten Wiener

Richtung (Wolfgang Soucek) der Psychotherapie – nach Sigmund Freuds Psychoanalyse und Alfred Adlers Individualpsychologie – aufgekommen. Frankl versteht die Logotherapie jedoch nicht als Ersatz der traditionellen Psychotherapie, sondern als deren theoretische und praktische Erweiterung in die spezifisch noetische Dimension hinein. Er selbst habe die Stufen dieser beiden Schulen durchlaufen und infolgedessen seinen eigenen Ansatz entwickelt:

> «[...] irgendwie bin ich durch die zwei ersten Richtungen der Wiener Psychoanalyse persönlich hindurchgegangen. Man kann wohl sagen, auch abgekürzt, denn 1924 ist – wie gesagt – auf Veranlassung von Sigmund Freud in seiner *Internationalen Zeitschrift für Psychotherapie* eine Arbeit von mir erschienen. Bereits ein Jahr später, nämlich 1925, erschien eine andere auf Veranlassung von Alfred Adler in dessen Zeitschrift. Ich kann also behaupten, dass ich an der Entwicklung der Psychotherapie teilgenommen habe [...]» (Frankl ^{2}2020, S. 78; Hervorhebung im Orig.)

Dennoch war es notwendig, alles zu vergessen, was er «von Freud und Adler gelernt hatte», und Frankls Bestreben besteht nun darin, «von den Patienten zu lernen, ihnen zuzuhören» (Klingberg 2002, S. 96). In dieser Zeit entdeckt und entwickelt Frankl den Humor als eine seiner wichtigsten Grundlagen der Logotherapie. Humor ist für ihn das «unmittelbare, echte und ursprüngliche [...] Attribut des Menschseins» (ebd., S. 110).

Internationale Anerkennung

In den fünfziger und sechziger Jahren gewinnt Viktor Frankl zunehmend internationale Anerkennung und erhält viele Einladungen zu Vorträgen in aller Welt. Nicht nur in Wien wird er zum Professor ernannt, sondern es folgen mehrere Gastprofessuren insbesondere im angelsächsischen Kulturraum. Hierdurch angeregt, formuliert Frankl seine vielzitierte Maxime, «der Freiheitsstatue an der Ostküste eine Verantwortlichkeitsstatue an der Westküste gegenüberzustellen», um darauf aufmerksam zu machen, dass personale Freiheit nicht beliebig sein und nur in Ergänzung durch Verantwortung tatsächlich verwirklicht werden kann.

Die Vortragsreisen weiten sich zusehends in den lateinamerikanischen und nahöstlichen Raum aus. Doch Viktor Frankl spricht nicht nur in akademischen Kreisen, sondern wiederholt auch vor Inhaftierten in einem amerikanischen Hochsicherheitsgefängnis, bei denen seine Ausführungen über Schuld und Vergebung sowie persönliche Verantwortung auf großes Verständnis und Zustimmung stoßen.

Das erste Institut für Logotherapie wird 1970 an der *United States Inter-*

national University gegründet und eine damit einhergehende Professur für Logotherapie geschaffen.

In Wien findet die Logotherapie in den achtziger Jahren ihren offiziellen Niederschlag zunächst in der *Gesellschaft für Logotherapie und Existenzanalyse* (GLE), die jedoch nach wenigen Jahren angesichts unvereinbarer Divergenzen hinsichtlich des Sinnbegriffs und Menschenverständnisses zur Neugründung des *Viktor-Frankl-Instituts* führen sollte.

Der Mensch

Viktor Frankl wird als scharfsinniger, hellwacher und interessierter Zeitgenosse beschrieben, der, selbst voller Humor, Witze, geistreiche Anekdoten und humorvolle Geschichten liebt. Zugleich steht er als Mensch voller Demut und tiefgläubig vor dem Mysterium Gottes und dem Geheimnis des Menschen. Wenngleich er immer überkonfessionell denkt, so legt er selbst zeitlebens täglich die Tefillin, die jüdischen Gebetsriemen. 1988 feiert er in Jerusalem seine zweite Bar Mitzwa.

Frankl ist bekennender und leidenschaftlicher Kaffeegenießer. Er scheut die Herausforderungen nicht und stellt sich seiner Höhenangst bereits in jungen Jahren mit Begeisterung für den Klettersport, den er bis ins hohe Alter praktiziert. Später erwirbt er in den USA die Soloflugberechtigung. Frankl interessiert sich für Mode (Krawatten) und wird als Berater für das Design von Brillengestellen herangezogen. Er komponiert Musikstücke, die öffentlich aufgeführt werden, und ist Autor eines Dramas, das er, beeinflusst durch den Existenzialismus und seine Erfahrungen im KZ, unmittelbar nach seiner Befreiung verfasst hatte (Frankl ^{2}2020, S. 33 ff.).

Trotz seiner leidvollen Erfahrungen wirkt Viktor Frankl immer auf Versöhnung hin und stellt sich öffentlich gegen den Vorwurf einer Kollektivschuld, die er als Provokation zu neuem Unrecht versteht. Verantwortlich im Sinne einer Schuld könne jeweils nur die einzelne Person vor ihrem Gewissen sein, denn Schuld setze eine geistige Individualität und damit personale Verantwortung voraus.

«*Das also ist der Mensch.* Und nun wissen wir auch die Antwort auf die Frage, die wir uns im Anfang gestellt: Was ist der Mensch, dass wir seiner gedenken? ‹Er ist ein Schilfrohr›, hat Pascal gesagt, ‹– aber ein Schilfrohr, das denkt!› Und dieses Denken, dieses Bewusstsein, dieses Verantwortlichsein –, es macht die Würde des Menschen aus, die Würde jedes einzelnen Menschen. Und es liegt ganz und gar immer nur am einzelnen Menschen, ob er sie mit Füßen tritt – oder ob er sie wahrt. So wie das eine das persönliche Verdienst eines Menschen ausmacht – so das andere seine persönliche

Schuld. Und es gibt nur persönliche Schuld. Niemals aber dürfte die Rede sein von Kollektivschuld.» (Frankl [4]2018, S. 218; Hervorhebung im Orig.) Dennoch stehe jede Nation in der potenziellen Gefahr des Rassismus oder Totalitarismus, Minderheiten auszutilgen oder Völkermord zu begehen, und müsse sich dessen stets bewusst sein (Frankl 1988/2015). Gerade in der heutigen Zeit ist diese Botschaft einmal mehr bedeutsam, und Viktor Frankl kann uns als Arzt, Psychotherapeut und Zeitzeuge des letzten Jahrhunderts als Vorbild gelten, uns unserer «Trotzmacht des Geistes» innezuwerden und dementsprechend mutig und verantwortlich in dieser fragilen, krisenhaften aktuellen Zeitlage zu handeln.

Literatur

Frankl, V. E. (1988/2015): Wider die Kollektivschuld. Rede am Wiener Rathausplatz im Jahre 1988 anlässlich des Gedenktages zum 50. Jahrestag des Hitler-Einmarsches in Österreich. http://www.m-media.or.at/gesellschaft/wider-die-kollektivschuld/2015/04/04/index.html [Abruf am 30.11.2013].

Frankl, V. E. ([7]2016): Der Wille zum Sinn. Hogrefe, Bern.

Frankl, V. E. ([2]2020): Dem Leben Antwort geben. Autobiografie. Beltz, Weinheim.

Frankl, V. E. ([4]2018): Der leidende Mensch. Anthropologische Grundlagen der Psychotherapie. Hogrefe, Bern.

Klingberg, H. E. (2002): Das Leben wartet auf Dich. Viktor & Elly Frankl. Deuticke, Wien.

Kohn, H. ([4]1979): Martin Buber. Sein Werk und seine Zeit. Ein Beitrag zur Geistesgeschichte Mitteleuropas 1880–1930. Fourier, Wiesbaden.

Grundgedanken der Logotherapie und Existenzanalyse Viktor Frankls

Zum Begriff der Logotherapie

Die Logotherapie wird neben der Psychoanalyse Sigmund Freuds und der Individualpsychologie Alfred Adlers als die dritte Wiener Schule oder auch dritte Wiener Richtung (Frankl & Kreuzer [4]1997, S. 13) bezeichnet. War für Freud der Mensch trieborientiert und für Adler machtorientiert, so ist er für Frankl sinnorientiert. Frankl wollte seinen Impuls zunächst nicht als die Gründung einer eigenen psychotherapeutischen Schule verstanden wissen, sondern nur als Ergänzung dazu: So entwickelte er in den dreißiger Jahren des zwanzigsten Jahrhunderts die Logotherapie als eine Beratungs- und Behandlungsmethode, die er erstmals 1946 in dem Buch *Ärztliche Seelsorge* (Frankl [9]2019) veröffentlichte. Von Anfang an ließ Frankl es sich angelegen sein, die Logotherapie als eine Ergänzung zur Tiefenpsychologie zu verstehen, die die Dimension des Geistigen beim Menschen einbezieht, denn, so lautet Frankls Leitmotiv als die Verbindung zwischen Geist und Sinn: «Der Geist braucht den Sinn – der Nous den Logos […]» (ebd., S. 117). Logos und Nous sind die zentralen Begriffe, die sich auf die geistige Dimension des Menschen beziehen. Der altgriechische Ausdruck ‹Logos› ist ein schillernder Begriff mit vielen Bedeutungen. Frankl versteht ihn als «Sinn» und tritt vom Logos her, das heißt vom Sinn ausgehend an den Menschen heran (ebd., S. 118 ff.). Das Wort ‹Logos› wird in diesem Zusammenhang oftmals mit der Wertfrage benutzt, da diese beiden Ebenen in einem engen Bezug zueinander stehen (ebd., S. 89).

Frankl konnte nachweisen, dass viele Menschen an einer mangelnden Sinnerfahrung oder – mit Frankls Worten – an einem «existentiellen Vakuum» leiden (ebd., S. 37 ff.). Sinn als Lebens- oder Daseinssinn ermöglicht es dem Menschen, sein Leben – auch unter schwierigsten Bedingungen – anzunehmen. Dazu nutzt das logotherapeutische Verfahren die gezielte Anregung des Willens zum Sinn. Gegenüber anderen psychotherapeutischen Richtungen ist Frankls Psychotherapie zukunftsorientiert und nicht reflexiv. Auch die biografische Dimension ist bedeutsam, und der Mensch wird in der Sinnsuche unterstützt, um so durch die Verwirklichung von Werten Sinnerfüllung zu erfahren. Gemeinsam werden Fähigkeiten und Ressourcen aufgetan und Aufgaben entdeckt, die er verwirklichen und somit konkret zur eigenen Sache machen kann.

Logotherapie bietet sich hervorragend als Methode zur Krisenprävention an. Sie dient als Hilfe für Menschen, die noch nicht erkrankt sind oder aber sich in einer Situation befinden, in der sie nach einer neuen Orientierung suchen. Dies kann beispielsweise auf das Alter hin bezogen sein, wenn der Mensch in die Phase des Ruhestands tritt und den Versuch unternimmt, sein Leben unter veränderten Bedingungen zu gestalten. Logotherapie kommt in den Bereichen der Sozialen Arbeit, der Pflege, Seelsorge und Pädagogik zur Anwendung und leistet wertvolle Arbeit zur Prävention und Behandlung von Sinnlosigkeitsgefühlen sowie bei psychischen oder psychosomatischen Erkrankungen.

Zum Begriff der Existenzanalyse

Existenzanalyse ist für Frankl eine Analyse der Existenz auf Sinn hin. Ziel ist dabei die Suche nach Grundlagen für ein Leben, in dem Werte verwirklicht werden können, die zur Sinnerfüllung führen. Die theoretische Basis davon sind die Anthropologie und Werteethik Max Schelers, die auch Rudolf Steiner zu schätzen wusste.[1]

In seinem späteren Werk verwendet Frankl den Begriff ‹Existenzanalyse› synonym zur Logotherapie und sieht diese beiden Bezeichnungen in theoretischer Hinsicht als zwei Seiten einer Medaille.

Logotherapie versteht Viktor Frankl als eine psychotherapeutische Behandlungsmethode, wohingegen die Existenzanalyse eine offene und kooperative anthropologische Forschungsrichtung darstellt, die an den personalen Voraussetzungen für eine sinnvolle Existenz ansetzt (Frankl 1987, S. 57 f.). Menschliche Existenz ist für Frankl durch Geistigkeit, Freiheit und die Verantwortlichkeit des Menschen gekennzeichnet.

Als Existenz beschreibt er das spezifisch Humane des Menschseins:

> «Nun zur *Existenzanalyse:* In dieser Wortbildung bedeutet Existenz eine Seinsart, und zwar im besonderen die Eigenart des Menschseins. Für diese besondere Art des Daseins hat die zeitgenössische Philosophie eben den Ausdruck Existenz reserviert – und wir haben in der Existenzanalyse bzw. Logotherapie diesen Ausdruck für jenen Inhalt entlehnt.» (ebd., S. 58; Hervorhebung im Orig.)

Es handelt sich dabei jedoch nicht im engeren Sinn um eine «Analyse der Existenz; denn eine Analyse der Existenz gibt es ebenso wenig, wie es eine Synthese der Existenz gibt» (ebd.). Im hermeneutischen Prozess der

---

1 Aus *Mein Lebensgang*: «Schelers Art zu denken, machte auf mich einen genialischen Eindruck. Und bis heute verfolge ich seinen Erkenntnisweg mit dem tiefsten Interesse. Innige Befriedigung gewährt es mir immer, wenn ich – leider ganz selten – dem Manne, der mir damals so sympathisch geworden war, wieder begegnen konnte.» (Steiner 2000, S. 442)

Daseinsbeschreibung bzw. -deutung (Existenz) vollzieht und expliziert der Mensch sich selbst als Person. Somit können charakteristische Strukturen und Spuren im biografischen Verlauf abgelesen werden, die signifikante Hinweise auf das «Wesen der Person» zulassen. Insofern lässt sich Existenzanalyse als anthropologische Grundlage für alle Psychotherapie definieren, einer Anthropologie jedoch, die der Psychotherapie als notwendige geistige Basis vorangeht.

Ein wesentliches Ergebnis der Existenzanalyse liegt in ihrer holistischen Betrachtungsweise und in der Entdeckung der essenziellen und unangreifbaren Person:

> «Das Personale an der Psychose aufzuzeigen und aufscheinen zu lassen ist das Anliegen der Existenzanalyse. Sie versucht, den Fall transparent zu machen auf den Menschen hin, das Krankheitsbild transzendieren zu lassen auf ein Menschenbild zu. Das Krankheitsbild ist nämlich ein bloßes Zerr- und Schattenbild des eigentlichen Menschen – dessen bloße Projektion in die klinische Ebene hinein, und zwar aus einer Dimension des Menschseins heraus, die wesentlich jenseits von Neurose und Psychose gelegen ist, und in diesen metaklinischen Raum hinein geht die Existenzanalyse auch den Phänomenen und Symptomen neurotischen und psychotischen Krankseins nach.

In diesem Raume nun entdeckt sie eine unversehrte und unversehrbare Menschlichkeit.» (ebd., S. 85 f.)

Eine deutliche Parallele hierzu findet sich im Werk Rudolf Steiners, der sich in einem Vortrag mit dem Titel *Der Irrsinn vom Standpunkte der Geisteswissenschaft* am 31. Januar 1907 über den damaligen «Jugendblödsinn»[2] in ähnlicher Weise äußert, indem er zur Veranschaulichung der psychisch bedingten Verzerrung den Vergleich mit einer spiegelnden Gartenkugel heranzieht:

> «Gerade der Jugendblödsinn ist am schwersten zu heilen. Aber der Geist als solcher kann nicht krank sein; er ist immer gesund [...]. Wenn man sich in einem Gartenkugelspiegel betrachtet, so sieht man ein Zerrbild seiner selbst. Niemand schließt aber aus dem Zerrbild, dass das wahre Gesicht auch verzerrt sein müsse. So ist es auch mit den Geisteskrankheiten. Zerrbilder des Geistes im Physischen sind die Wahnsinnsformen. Darum ist auf dem Wege der Logik, des abstrakten Begriffes nie eine Heilung möglich.» (Steiner 1983, S. 146)

Zur Heilung gehört somit ein Menschenverständnis, das die Dimension des Geistigen, des Nous als Realität versteht. Analog zum dreigegliederten Menschenverständnis Rudolf Steiners spricht auch Frankl in seiner soge-

2 Der Ausdruck «Blödsinn» wurde später von der aus heutiger Sicht nicht minder diskreditierenden Bezeichnung «Schwachsinn» abgelöst. Aktuell wird oft von einer Intelligenzminderung gesprochen. Im Jahr 1924 entwickelte Rudolf Steiner mit dem Begriff der Seelenpflegebedürftigkeit eine ganz eigene, «programmatische» Auffassung für dieses Phänomen.

nannten «Dimensionalontologie» von einer Dreidimensionalität, die eine elementare Grundlage seines Menschenverständnisses darstellt. Im Folgenden werden neben dieser essenziellen anthropologischen Voraussetzung weitere wesentliche Grundgedanken der Logotherapie und Existenzanalyse vorgestellt, bevor in den anschließenden Kapiteln der praktische Handlungswert in verschiedenen Fachdisziplinen erschlossen wird.

Die Anthropologie Viktor Frankls

Dreidimensionalität des Menschen

Viktor Frankl leitet seine anthropologischen Voraussetzungen (Menschenverständnis) aus der philosophischen Erklärung der Ontologie ab und fasst diese unter dem Terminus der «Dimensionalontologie» zusammen. Insofern sollte sein Begriff der Person vielmehr aus philosophischer Sicht und weniger von der Psychologie her verstanden werden. Menschsein schließt in diesem Sinne drei Dimensionen ein: die noetische (geistige), die seelische und die körperliche Dimension. Diese Ebenen können nur in holistischer Einheit und nicht analytisch-isoliert voneinander betrachtet werden, denn alle drei Sphären durchdringen einander. Sie stoßen an jedem Punkt menschlicher Existenz aufeinander. Für Elisabeth Lukas umfasst die physische Dimension zunächst alle leiblichen Prozesse einschließlich der chemischen und physikalischen Vorgänge:

> «Die *somatische Dimension* ist am einfachsten zu definieren, ihr sind alle leiblichen Phänomene des Menschen zuzuordnen. Sie umfaßt die organische Zellgrundlage des Menschen sowie seine physiologische Lebensstruktur inclusive den dazugehörigen chemischen und physikalischen Prozessen.» (Lukas 1986, S. 26; Hervorhebung im Orig.)

Die psychische Dimension versteht Lukas als Befindlichkeit und Emotionalität des Menschen, «seine Gestimmtheit, seine Triebgefühle, Instinkte, Hoffnungen, Begierden, Sehnsüchte usw.» (ebd.).

Das spezifisch Humane ist in Frankls Anthropologie durch die noetische Dimension gekennzeichnet, die den Menschen zur Planung und Gestaltung seines Lebens befähigt und ihm die intentionale Wahrnehmung von Willensvorgängen erlaubt, so Lukas weiter:

> «Innerhalb der *geistigen Dimension* ist dann die freie Stellungnahme zu Leiblichkeit und Befindlichkeit zu lokalisieren. Dort gibt es eigenständige Willensentscheidungen und Intentionalität, sachliches und künstlerisches Interesse, schöpferisches Denken, Religiosität, ethisches Empfinden (‹Gewissen›) und Wertverständnis.» (ebd., S. 26 f.; Hervorhebung im Orig.)

Frankls Anthropologie besteht in der Annahme, dass der Mensch in seinem «dynamischen Aktzentrum», der geistigen respektive noetischen Dimension, je und je unabhängig ist etwa vom Alter oder den kognitiven Fähigkeiten und somit nicht erkranken kann. Der menschliche Geist ist omnipräsent, er ist stets vorhanden und wirksam, auch wenn er für andere nicht immer erkennbar ist. Die Mächtigkeit der geistigen Person, noch in und trotz all ihrer scheinbaren ‹Ohnmacht› den psychophysischen Bedingtheiten zu trotzen, nennt Frankl die «Trotzmacht des Geistes» (Frankl [4]2018, S. 110):

> «Die geistige Person bleibt unberührt, selbst noch in der Psychose; der personale Geist wird von der ‹Geisteskrankheit nicht tangiert; mag die Person noch so sehr verdeckt und verstellt sein vom vordergründigen Krankheitsgeschehen – im Hintergrund steht sie nach wie vor, wenn auch ohnmächtig und unsichtbar; ohnmächtig im angemessenen Gebrauch ihres Instruments, des psychophysischen Organismus, – unsichtbar bis auf vereinzelte Augenblicke, in denen der ‹Geist› wie ein ‹Blitz› durch die ihn von uns isolierende psychophysische Schicht hindurchschlägt.» (Frankl [4]2018, S. 108)

Der Mensch wird in der noetischen Sphäre in seiner Empfänglichkeit für Sinnfragen sensibilisiert und erhält mit ihr eine Ebene für ethische und religiöse Fragen wie auch für Wertvorstellungen. Die noetische Dimension ist die grundlegende Voraussetzung zur Transzendenz und ermöglicht es dem Menschen, Sinn und Werte zu einem integrierenden Bestandteil seines Daseins zu machen. Nur der menschliche Geist (Nous) ist zur Selbstdistanzierung fähig und dazu in der Lage, die Frage nach sich selbst zu stellen. Diese Fähigkeit, sich sich selbst gegenüberzustellen oder sich zu sich selbst zu verhalten, ermöglicht es ihm, sich in seiner psychosomatischen Wesenheit zu betrachten, zu bewerten und zu erkennen. Der Nous ist die Instanz, die den Menschen zu einem Wesen der Entscheidung macht: Er ist nicht Opfer seiner psychischen Gegebenheiten oder seiner Sozialisation, sondern er hat das Vermögen, Stellung zu beziehen für oder gegen Optionen des Lebens und kraft seiner geistigen Existenz ist er dazu imstande, sein «Schicksal» zu steuern oder zu überwinden.

Selbstdistanzierung und Selbsttranszendenz

Der Mensch stößt in all seinen Lebensäußerungen und -erfahrungen an Grenzen, besitzt aber das Vermögen, diese im Zusammenwirken der zwei zentralen Grundkräfte der Selbstdistanzierung und Selbsttranszendenz zu überschreiten. In seiner fundamentalen Intentionalität ist der Mensch immer auf etwas oder jemanden ausgerichtet, das nicht er selbst und daher radikal anders ist. In der Fähigkeit zur Selbsttranszendenz der Existenz auf den Logos hin und der Selbstdistanzierung als deren Voraussetzung kann der Mensch sinnvolle Antwort auf seine Lebenssituation finden. Daher ist Sinn keine abstrakte Kategorie, sondern eine je konkrete und praktische Möglichkeit, sich an der Sinnperspektive zu orientieren (Frankl [9]2019, S. 213).

Exzentrizität (Plessner) als elementar-humanes Freiheitsmoment

Der Mensch kann sich somit aus der geistigen Dimension für oder gegen etwas entscheiden und dementsprechend handeln. Angesichts seiner Fähigkeit, sich von seiner physischen und psychischen Ebene zu distanzieren, kann er sich zu äußeren Rahmenbedingungen einstellen und verhalten. In diesem Zusammenhang stellt Viktor Frankl die negative Freiheit (der Mensch ist nicht frei ‹von› etwas) der positiven Freiheit gegenüber (frei ‹zu› etwas):

> «Die Freiheit des Menschen ist selbstverständlich nicht eine Freiheit von Bedingungen, sei es biologischen, sei es psychologischen oder soziologischen; sie ist überhaupt nicht eine Freiheit von etwas, sondern eine Freiheit *zu* etwas, nämlich die Freiheit zu einer *Stellungnahme* gegenüber all den Bedingungen. Und so wird sich der Mensch erst dann als wirklicher Mensch erweisen, wenn er sich in die Dimension der Freiheit aufschwingt.» (Frankl [9]2019, S. 18; Hervorhebungen im Orig.)

Von den Verhältnissen, in denen wir uns vorfinden in unserem Leben, sind wir also nicht ohne Weiteres frei, beispielsweise durch eine körperliche Beeinträchtigung oder die Prägung durch die Sozialisation in einem möglicherweise autoritären politischen System. Wir haben jedoch die Freiheit, zu diesen Bedingungen Stellung zu beziehen. Steht der Mensch einer Situation respektive einem Sachverhalt gegenüber, die oder den er nicht verändern kann, so hat er immer noch die Möglichkeit der Entscheidung, welche Haltung er dazu einnehmen möchte. Diese Freiheit des Nous bedeutet für Frankl aber stets auch, Verantwortung für sein Handeln gegenüber den Gegebenheiten zu übernehmen. Verantwortung stellt die unvermeidliche andere Seite der Freiheit dar. Nur in der Komplementarität der Verantwortung zur Freiheit, so Frankl, kann die Gefahr vermieden werden, dass Freiheit die Gestalt von Willkür annimmt, wenn sie nicht im Sinne der Verantwortlichkeit gelebt wird:

> «Wir sind ausgegangen vom Determinismus als einer Einengung der Freiheit. Abschließend sei darum die Rede vom Humanismus als einer Ausweitung der Freiheit. Tatsächlich ist die Freiheit die halbe Wahrheit. Freisein ist der negative Aspekt eines Phänomens, dessen positiver Aspekt Verantwortlichsein heißt. Freiheit schlägt in Willkür um, wenn sie nicht im Sinne von Verantwortlichkeit gelebt wird.» (Frankl [7]2021, S. 136)

Verantwortung für die Welt und sich selbst

Angesichts dieser Perspektive hat «Welt» einen fundamental-appellativen Charakter nicht nur aus Sicht der/des Einzelnen, sondern auch – im Sinne von Hans Jonas' Prinzip der Verantwortung – mit Blick auf eine menschenwürdige Zukunft und Verantwortung für die Erde. Gerade die aktuellen Ereignisse – etwa die wachsende Kluft zwischen Arm und Reich, die politischen Unruhen angesichts weltweiter Konflikte, etliche Kriegsschauplätze oder wieder erstarkte nationalistische Bewegungen, die alternde Gesellschaft, das inzwischen dramatische Ausmaß des Klimawandels mit den damit einhergehenden gegenwärtigen Naturkatastrophen und das millionenfache Artensterben[3] – fordern in ihrer schier kumulativen Komplexität eine Antwort: die Verantwortung des Menschen.

Aber auch im mikrosozialen Bereich der Begegnung weiß sich der Mensch trotz des elementaren Bewusstseins seiner segmental-egologischen Struktur doch immerhin eingegliedert in die Gesamtheit und Verantwortung für die Welt, denn «die Verantwortung des Menschen [...] ist eine Verantwortung angesichts der Einzigartigkeit je seiner Existenz [...]» (Frankl ⁹2019, S. 129).

Die Einmaligkeit jeder Situation sowie die Einzigartigkeit jedes Schicksals bewegen sich innerhalb eines exklusiven Spielraums einer Mitwelt in relationaler Abhängigkeit, innerhalb dessen der Mensch jedoch nicht austauschbar ist, bemerkt Frankl:

> «Diese seine Unvertretbarkeit macht seine Verantwortlichkeit für die Gestaltung des Schicksals aus. [...] Mit seinem einzigartigen Schicksal steht jeder einzelne Mensch sozusagen im ganzen Kosmos einzig da.» (ebd.)

Doch gerade der einzelne Mensch ist es, der mit seiner Fähigkeit «in jedem Augenblick aus einer Fülle von Möglichkeiten eine einzige» herauszugreifen vermag und diese in ihrer Verwirklichung zu einem Teil der Welt macht. Im dynamischen Grenzbereich der Gegenwart zur Vergangenheit wird die verwirklichte Tat vor der Vergänglichkeit in die Vergangenheit gerettet, denn:

> «Nichts lässt sich aus der Welt schaffen, was einmal geschehen ist; kommt nicht alles nur umso mehr darauf an, dass es in die Welt geschaffen wird?» (ebd., S. 134)

Dies hat etwas ungemein Tröstliches, und entgegen der Lesart nihilistischer Konzepte des Existenzialismus resp. der Existenzphilosophie beantwortet

---

3 Der aktuelle Global Assessment Report 2019 des Weltbiodiversitätsrates IPBES, die bisher umfassendste internationale Untersuchung zum Artenschutz, kommt zu diesem alarmierenden Ergebnis.

sich die Frage nach dem Sinn oder der Sinnlosigkeit eines Lebens quasi von selbst, wenn Frankl feststellt:

> «Aber auch ewig ist alles. [...] Ins Protokoll der Welt ‹aufgenommen› wird alles, unser ganzes Leben, all unser Schaffen, Lieben und Leiden; aufgenommen wird es in dieses Protokoll und ‹aufgehoben›, aufbewahrt bleibt es in ihm. Es ist also nicht so, wie ein großer Existenzphilosoph es sieht: dass die Welt gleichsam ein Manuskript ist – ein Manuskript, das überdies in einer ‹Chiffreschrift› abgefasst ist. Nein, die Welt ist kein Manuskript, das wir zu entziffern haben (und nicht entziffern können) – die Welt ist vielmehr ein Protokoll, das wir zu diktieren haben.» (Frankl [7]2021, S. 45)

Es kommt also auf uns selbst, auf unsere Schöpferkraft an, uns «aus dem Nichts der Zukunft» zu vergegenwärtigen und in das Sein zu «zeitigen», das heißt, in das «Vergangen-Sein» hineinzuschaffen und damit ein Stück von Welt zu sein (ebd.).

Sinn und Werte

Allgemeines zum Begriff ‹Sinn›

Das Nomen «Sinn» geht zurück auf das gotische *sinps* = Gang und *sinpan* = gehen. Im Althochdeutschen trifft man auf *sinnan* als reisen, was im weiteren Sinne auch heißen kann, geistig einer Sache nachzugehen. Der Sinn (LOGOS engl. = *sense/meaning of life*; frz. = *sense de la vie*) ist begrifflich weit gefasst und lässt verschiedene Interpretationen zu. Der Sinn des Lebens / Sinn des Daseins im Sinne von Richtung oder auch innerer Absicht betrachtet das Dasein als erfüllte Zeit (Gerhardt 1995, S. 815 f.). In der Antike wurde mit «euzen» ein sinnerfülltes Leben als das gute und gelungene, das geglückte Leben beschrieben (ebd., S. 816 ff.).
Heute richtet sich der Blick vermehrt auf einen Sinnverlust infolge des Schwindens kollektiver Sinngebungssysteme durch festgefügte Rollen und Traditionen, denn «[...] diese Welt, die den Menschen einen Sinn zu schenken vermochte, ist inzwischen untergegangen» (Alt 1997, S. 25). Heute steht dem gegenüber ein schier unüberschaubarer Pluralismus von Wahlmöglichkeiten und Identitätsangeboten postmoderner Gesellschaften. Wenngleich existenzielle Sorgen in den westlichen Industrienationen nahezu überwunden scheinen, so wird doch gerade hier die Tendenz zur Frage nach dem Sinn in den individuellen Lebensentwürfen zunehmend sichtbar. Angesichts der großen Herausforderungen im 21. Jahrhundert scheinen eine Angst vor der Zukunft und das Gefühl von Perspektivlosigkeit mit einer Sinnleere einherzugehen. Viktor Frankl spricht in diesem Zusammenhang von einem «existentiellen Vakuum»:

> «Freilich, heutzutage ist dieser Wille zum Sinn nur allzuoft frustriert. In der Logotherapie sprechen wir in diesem Zusammenhang von einer existentiellen Frustration. Patienten, auf die diese Diagnose zutrifft, pflegen über ein Sinnlosigkeitsgefühl oder über innere Leere zu klagen. In der logotherapeutischen Terminologie wird daher in solchen Fällen von einem ‹existentiellen Vakuum› gesprochen.» (Frankl [9]2019, S. 319)

Für Otfried Höffe (1988) oszilliert der Begriff «sinnerfülltes Leben» zwischen den Aspekten von Selbstverwirklichung und Lebensqualität. Der Mensch erfährt dort Sinn, wo er in Selbstverantwortung sein Tun und sein Leben gestalten kann (Höffe 1988, S. 137). Den sich im 19. Jahrhundert breitmachenden «europäischen Nihilismus» versteht Höffe als die Entwertung

> «aller obersten, dem Leben und Sterben bislang Sinn gebenden sittlich-politischen Grundsätze. [...] Dort, wo die bisherigen Werte ihre Geltung verlieren, breitet sich ein Gefühl der Leere und Sinnlosigkeit aus, das große Taedium: der Ekel und der Überdruss.» (ebd., S. 139)

Der heutige Trend in den westlichen Industrienationen ist überwiegend von der Erwartung geprägt, das Leben habe eine Fülle von Ereignissen bereitzuhalten. Durch Glücksmaximierung und Selbstoptimierungspraktiken bewegt der Mensch sich sozusagen in einem Leben auf der Überholspur, und letztlich erschließt sich selbst die menschliche Würde bzw. der Wert des Lebens in diesen Erwartungsansprüchen, wie der Soziologe Gerhard Schulze festhält:

> «Erlebnisansprüche wandern von der Peripherie ins Zentrum der persönlichen Werte; sie werden zum Maßstab über Wert und Unwert des Lebens schlechthin und definieren den Sinn des Lebens.» (Schulze 1992, S. 59 zit. n. Alt 1997, S. 169)

Doch menschliches Dasein ist fragil und den unterschiedlichsten Brüchen ausgesetzt. Oftmals wird in schwierigen Situationen offensichtlich, dass bisherige Sinnstrukturen nicht mehr tragen und Anpassungsleistungen an die veränderten Gegebenheiten zu meistern sind. Insbesondere in biografischen Umbruchphasen sind solche Anpassungen der Sinngebung erforderlich, etwa dann, wenn angesichts fortschreitenden Alters und der damit einhergehenden physischen, psychischen und sozialen Veränderungen eine Adaption der individuellen Sinnentwürfe an die neuen Lebensumstände geboten ist.

Grundlegendes zum Sinnbegriff bei Viktor Frankl

Viktor Frankl beschreibt «Sinn» als Lebens- oder Daseinssinn. Beide Begriffe sind nicht exakt definierbar oder mit wissenschaftlichen Kategorien präzise fassbar.

Er differenziert zwischen situativem resp. partikulärem Sinn und allgemeinem oder ontologischen Sinn. Der letztere – Frankl nennt ihn auch den «Über-Sinn» – reicht über das menschliche Fassungsvermögen hinaus in den Bereich der Religiosität und ist eine Sphäre, in der die geistige Person geradezu aufleuchten kann (Frankl [9]2019, S. 71 ff.). Sinnmöglichkeiten geschehen in der jeweilig konkreten Situation, und der Mensch hat die Freiheit, sich für oder gegen einen «Sinn-Anruf» zu entscheiden. Wenngleich man hier in gewisser Weise von einem ethischen Individualismus sprechen könnte, so bedeutet dies jedoch nicht, dass Sinndeutungen beliebig sind. Das heißt, es geht darum, «‹das Eine, was not tut›, zu erschließen» (Frankl [8]1992, S. 24). Frankl weist damit auf das Gewissen als innere Instanz bzw. als «Sinn-Organ» (ebd., S. 71) hin, mit dem der Mensch ein «Sein sollendes» schaffen kann, indem er «nicht ein Seiendes, vielmehr ein noch nicht Seiendes: ein Sein sollendes» verwirklicht (ebd., S 23).

Wertekategorien bei Viktor Frankl

Das Wort «Wert» lässt sich herleiten aus dem althochdeutschen «werd» des achten Jahrhunderts und heißt in etwa «wertvoll», «kostbar» oder «wert». Es lässt sich auf die gemeingermanische Substantivierung des Adjektivs «wert» zurückführen und meint «gegen etwas gewendet». Vermutlich ist daraus auch die Bedeutung von «einen Gegenwert habend» entstanden.

Ein Wert deklariert ein Anzustrebendes oder etwas Wünschenswertes, denn: «In Wirklichkeit ist der Mensch aber nicht ein von Triebhaftem getriebener, sondern er wird von Werthaftem – gezogen.» (Frankl [4]2018, S. 179) Werte entstehen im soziokulturellen Kontext und werden in der Regel von der Mehrheit der Gesellschaftsmitglieder akzeptiert. Sie sind nicht fixiert auf eine Epoche und können einem historischen Wandel ebenso unterliegen wie ethnisch divergenten Wertvorstellungen.

Viktor Frankl orientiert sich bei seinen Aussagen an der Wertethik von Max Scheler (Scheler [17]2007) und plädiert für die Verwirklichung konkret und situativ angebotener Werte. Durch die Erfüllung von Werten gelangt der Mensch zur Sinnerfüllung. Sinnmöglichkeiten bezeichnet Frankl als Werte, somit stellen für ihn Werte potenzielle Sinnmöglichkeiten dar. Werte bezeichnet er als «Sinn-Universalien», als Sinnmöglichkeiten. Dabei kann der Sinn nicht auf verschiedene Objekte übertragen werden, da der konkrete Sinn immer an eine Person gebunden ist. Die Begriffe ‹Wert› und ‹Sinn› werden in der logotherapeutischen Literatur oftmals in Korrelation genannt, da sie in einem engen Bezugssystem zueinander stehen, wie etwa an dieser Stelle in der *Ärztlichen Seelsorge*:

> «Während nun der Sinn als an eine einmalige und einzigartige Situation gebunden ist, gibt es darüber hinaus Sinn-Universalien, die sich auf die conditio humaine als solche beziehen, und diese umfassenden Sinnmöglichkeiten sind es, die Werte genannt werden.» (Frankl [9]2019, S. 89)

Viktor Frankl unterscheidet in Anlehnung an Scheler drei Wertekategorien, die er auch als «Hauptstraßen» zum Sinn bezeichnet, das heißt,

> «dass es sozusagen *drei Hauptstraßen* gibt, auf denen sich Sinn finden lässt: Zunächst einmal kann mein Leben dadurch sinnvoll werden, dass ich eine Tat setze, dass ich ein Werk schaffe; aber auch dadurch, dass ich etwas erlebe – etwas oder jemanden erlebe, und jemanden in seiner ganzen Einmaligkeit und Einzigartigkeit erleben heißt, ihn lieben […] Zuletzt aber zeigt sich, dass auch dort, wo wir mit einem Schicksal konfrontiert sind, das sich einfach nicht ändern lässt, sagen wir mit einer unheilbaren Krankheit, […] lässt sich das Leben noch immer sinnvoll gestalten […].» (Frankl [7]2021, S. 190; Hervorhebungen im Orig.)

Zusammenfassend lässt sich also von folgenden Werten sprechen:

- den «schöpferischen Werten»,
- den «Erlebniswerten» und
- den «Einstellungswerten» (Frankl [9]2019, S. 92 f.).

Sinnfindung geschieht durch die Verwirklichung unterschiedlicher Werte, wobei im situativen Kontext auch mehrere Werte zugleich realisiert werden können.

Schöpferische Werte

Die schöpferischen Werte werden durch den tätigen bzw. schaffenden Menschen verwirklicht. Sinn findet er in der Gestaltung seines Lebens durch Taten und Werke, wodurch er sich in aktive Beziehung zur Welt setzt. Entscheidend ist der Wert oder der jeweilige Sinn, den eine Person konkret aus ihrem schöpferischen Handeln zieht.

In der Regel birgt die berufliche Tätigkeit eine Fülle an Möglichkeiten zur Realisierung schöpferischer Werte, sofern dem Menschen Gestaltungsmöglichkeiten bleiben. Über das Arbeitsleben hinaus bieten auch Tätigkeiten im Alltag (bspw. Gartenpflege, ehrenamtliche Aufgaben) oder im kreativen Bereich zahlreiche Möglichkeiten zur Verwirklichung dieser Werte.

Erlebniswerte

In einer zweiten Kategorie bündelt Frankl diejenigen Werte, die sich in Erfahrungen, Erlebnissen oder auch in Form von Besinnung verwirklichen lassen. Der Mensch geht in einer Tätigkeit auf, er kann sich an Dingen oder auch Situationen erfreuen, bspw. einem Hobby nachgehen oder ein Essen mit Freunden genießen. Frankl bezeichnet diesen Prozess als Erlebnis, das die Fähigkeit zur Offenheit und Genussfähigkeit mit sich bringt. Der Mensch öffnet sich gegenüber der Welt, er begegnet anderen Menschen als Du und er ist zu Hingabe und Liebe fähig. Sinn kann sich somit auch intrinsisch, jenseits von allem Tun und Handeln erfüllen. Die Fähigkeit zum Genuss, sei es der malerische Anblick eines Sonnenuntergangs am Meer oder der Besuch eines Konzerts, setzt neben den äußeren Sinnesorganen auch ein Wissen um die Erlebensmöglichkeiten dieser Ereignisse voraus.

Insbesondere in der partnerschaftlichen Verbundenheit mit Menschen in Freundschaft oder Liebe sieht Frankl eine wesentliche Möglichkeit zur Realisierung von Erlebniswerten. Hier bedarf es vor allem einer Mitwelt, in der Beziehungs- und Gemeinschaftswerte verwirklicht werden können.

Einstellungswerte

Die Medien des Tätigseins und des Genusses stellen also eine Voraussetzung zur Realisierung von Sinn dar. Darüber hinaus verwirklicht der Mensch jedoch auch dann noch Sinn, wenn sein Leben nicht nur durch Tätigsein und Genuss positiv verläuft, sondern auch im Leiden. Dies zeichnet geradezu das spezifisch Humane aus, dass der Mensch dazu fähig ist, seinem Leiden durch einen Willensakt einen Sinn abzugewinnen und das Leiden somit in eine Leistung verwandeln kann. Kommt es zum wiederkehrenden Erlebnis der Differenz zwischen Realem und Idealem, Praktischem und Vorgestelltem, so muss der Mensch diesen Schmerz immer wieder aufs Neue überwinden, um nicht daran zu zerbrechen. Schmerz gerät somit als ein konstitutiv-humanes Element in den Fokus. Frankl bezeichnet in diesem Zusammenhang die Situationen Schuld, Leid und Tod als «tragische Trias» (Frankl ^{9}2019, S. 319), und es kommt ihm darauf an, das Leid in Leistung, die Schuld in Wandlung, den Tod in einen Ansporn zu verantwortlichem Tun zu transformieren, womit zugleich auch ein Sinn im Leiden erkannt werden kann, so Frankl:

> «Es gibt nun keine Lebenssituation, die wirklich sinnlos wäre. Dies ist darauf zurückzuführen, dass die scheinbar negativen Seiten der menschlichen Existenz, insbesondere jene tragische Trias, zu der sich Leid, Schuld und Tod zusammenfügen, auch in etwas Positives, in eine Leistung verwandelt werden können, wenn ihnen nur mit der rechten Haltung und Einstellung begegnet wird.» (ebd.)

Selbstverständlich handelt es sich dabei nur um «das unabwendbare und unabänderliche Leiden», dem ein Sinn abgewonnen werden kann (ebd.). Frankl versucht zu zeigen, dass es zu den essenziellen Möglichkeiten des Menschen gehört, auch extremen Situationen Sinn abzugewinnen, und dass es vor allem darum geht, sich diesen Erfahrungen zu stellen. Das Potenzial, sich zu Leid oder Schmerz zu verhalten, bewahrt den Menschen davor, in «seelische Totenstarre» zu verfallen: «Ja, im Leiden reifen wir sogar, an ihm wachsen wir – es macht uns reicher und mächtiger.» (ebd., S. 160)

Solange der der Mensch sich im Bereich der Einstellungswerte bewegt, ist das Leben niemals sinnlos:

> «[…] *solange er atmet*; solange er bei Bewusstsein ist, trägt er Verantwortung gegenüber Werten und seien es nur Einstellungswerte. […] Seine Verpflichtung, Werte zu verwirklichen, lässt ihn bis zum letzten Augenblick seines Daseins nicht los.» (ebd., S. 93; Hervorhebungen im Orig.)

Entscheidend ist, dass der Mensch sich hinsichtlich seiner Werteverwirklichung eine gewisse Plastizität aneignet, die es ihm erlaubt, von einer Kategorie in die andere zu wechseln, erklärt Frankl:

> «Das Leben verlangt vom Menschen diesbezüglich eine ausgesprochene Elastizität, eine elastische Anpassung an die Chancen, die es ihm gibt.» (ebd., S. 91)

Abschluss

Das Welt- und Menschenverständnis Viktor Frankls leistet einen wichtigen Beitrag zur Betrachtung anthropologischer wie ethischer Fragestellungen in human- und sozialwissenschaftlichen Disziplinen. Es hat einen großen Einfluss auf viele gesellschaftsrelevante Gebiete und kann in den verschiedenen fachpraktischen Feldern Handlungsorientierung bieten. Nicht zuletzt hat es das Potenzial, den Alltag als Lebensform zu durchdringen («gelebte Logotherapie», Elisabeth Lukas). Angesichts der Verwandtschaft zur Anthropologie Rudolf Steiners ist Frankls Ansatz eine spannende Folie auch für die anthroposophischen Praxisfelder. Dies soll in den folgenden Beiträgen erschlossen werden.

Literatur

Alt, J. A. (1997): Wenn Sinn knapp wird. Über das gelingende Leben in einer entzauberten Welt. Campus, Frankfurt am Main.

Frankl, V. E. (1987): Logotherapie und Existenzanalyse. Piper, München.

Frankl, V. E. ([8]1992): Der unbewusste Gott. Psychotherapie und Religion. dtv, München.

Frankl, V. E. (^{22}2002): … trotzdem Ja zum Leben sagen. Ein Psychologe erlebt das Konzentrationslager. dtv, München.

Frankl, V. E. (^{4}2018): Der leidende Mensch. Anthropologische Grundlagen der Psychotherapie. Hogrefe, Bern.

Frankl, V. E. (^{9}2019): Ärztliche Seelsorge. Grundlagen der Logotherapie und Existenzanalyse. dtv, München.

Frankl, V. E. (^{7}2021): Der Wille zum Sinn. Hogrefe, Bern.

Frankl, V. E.; Kreuzer, F. (^{4}1997): Im Anfang war der Sinn. Von der Psychotherapie zur Logotherapie. Piper, München.

Gerhardt, V. (1995): Stichwort «Sinn des Lebens». In: Ritter, J.; Gründer K.; Gabriel, G. (Hg.): Historisches Wörterbuch der Philosophie. Band 9, S. 815–824.

Höffe, O. (1988): Personale Bedingungen eines sinnerfüllten Lebens. Eine ethisch-philosophische Erkundung. In: Eisenburg, J. (Hg.): Sucht ▯ ein Massenphänomen als Alarmsignal. Patmos, Düsseldorf, S. 137–166.

König, K. (1991): Drei Grundpfeiler von Camphill. In: Pietzner, C. (Hg.): Camphill. Fünfzig Jahre Leben und Arbeiten mit Seelenpflege-bedürftigen Menschen. Verlag Freies Geistesleben, Stuttgart, S. 26–32.

Kranich, E.-M. (1990): Anthropologie – das Fundament der pädagogischen Praxis. In: Bohnsack, F.; Kranich, E.-M. (Hg.): Erziehungswissenschaft und Waldorfpädagogik. Der Beginn eines notwendigen Dialogs. Beltz, Weinheim/Basel, S. 96–139.

Lukas, E. (1986): Von der Trotzmacht des Geistes. Menschenbild und Methoden der Logotherapie. Herder, Freiburg/Basel/Wien.

Scheler, M. (^{17}2007): Die Stellung des Menschen im Kosmos. Bouvier, Bonn.

Steiner, R. (^{2}1983): Die Erkenntnis des Übersinnlichen in unserer Zeit und deren Bedeutung für das heutige Leben (GA 55). Dreizehn öffentliche Vorträge gehalten zwischen dem 11. Oktober 1906 und dem 26. April 1907 im Architektenhaus zu Berlin. Rudolf Steiner Verlag, Dornach.

Steiner, R. (2000): Mein Lebensgang (GA 28). Rudolf Steiner Verlag, Dornach.

Sozialtherapie schafft Sinn

Im Folgenden möchte ich die konzeptionellen Voraussetzungen der Sozialtherapie als Praxisfeld, so wie sie sich aus dem anthroposophischen Impuls Rudolf Steiners und Karl Königs heraus entwickelt haben, in Verbindung mit der Logotherapie und Existenzanalyse Viktor Frankls bringen. Mein Anliegen ist in diesem Zusammenhang – ganz im Sinne der oben beschriebenen Offenheit der Existenzanalyse –, dass beide Schulen im kooperativen Miteinander voneinander lernen und damit durchaus interessante Synergien entstehen können. Dazu werde ich zunächst allgemeine theoretische Gedanken vorausschicken, um daran anschließend einige konkrete Motive darzustellen.

Entstehungsgeschichte anthroposophischer Heilpädagogik und Sozialtherapie und deren anthropologische Grundlage

Im Sommer 1924 trug Rudolf Steiner einer kleinen Gruppe von medizinisch und pädagogisch tätigen Menschen in der Schreinerei am Goetheanum (Dornach nahe Basel) im sogenannten «Heilpädagogischen Kurs» seine Ideen zur Pädagogik und Therapie behinderter Kinder vor. Aus diesem einwöchigen Kurs ist inzwischen eine differenzierte globale Bewegung heilpädagogischer Arbeit entstanden, die sich ursprünglich auf die Erziehung und Bildung von Kindern konzentrierte, bevor sie nach Steiners Tod in modifizierter Form auch auf die Begleitung Erwachsener – vor allem im Rahmen der von Karl König begründeten Camphill-Bewegung – als «Sozialtherapie» weiterentwickelt wurde. In Verbindung mit dem von Steiner empfohlenen Begriff der «Seelenpflege»[4] wird anthroposophische Sozialtherapie als die Hilfe zu einem körperlich-seelisch-geistigen Individuationsprozess unter der Prämisse relevanter biografischer Phasen begriffen, ohne den Menschen an normativen Maßstäben zu messen. Steiner erachtete es zunächst als notwendig, den Begriff der Normalität mit dem ihm eigenen grundlegend differenzierenden Moment zu überwinden und durch ‹Individualisierung› zu ersetzen:

4 Auf der Suche nach einem Namen für eines der ersten heilpädagogischen Institute schlug einer der Ärzte vor, die Einrichtung «Heim für pathologische und epileptische Kinder» zu nennen. «Nein», so Steiner, «es muss schon aus dem Titel ersichtlich sein, was dort geschieht […] Heil- und Erziehungsinstitut für Seelenpflege-bedürftige Kinder. […] Wir müssen schon einen Namen wählen, der die Kinder nicht gleich abstempelt.» (Strohschein 1970[4], S. 216 f.).

> «Wir haben ja im Grunde genommen gar kein weiteres Recht, über die Normalität oder Abnormalität des kindlichen Seelenlebens oder menschlichen Seelenlebens überhaupt zu reden, als indem wir hinschauen auf dasjenige, was durchschnittsmässig ‹normal› ist. Es gibt kein anderes Kriterium als dasjenige, was allgemein üblich ist vor einer Gemeinschaft von Philistern. Und wenn diese Gemeinschaft irgend etwas für vernünftig oder gescheit ansieht, so ist alles dasjenige ‹abnormes› Seelenleben, was nach Ansicht dieser Philister nicht ‹normales› Seelenleben ist. Ein anderes Kriterium gibt es zunächst nicht. Daher sind die Urteile so außerordentlich konfus, wenn man anfängt, indem man eine Abnormität konstatieren kann, dann alles Mögliche zu treiben, und damit abzuhelfen glaubt – statt dessen treibt man ein Stück Genialität heraus.» (Steiner [4]2010, S. 2)

Den sogenannten normalen Menschen gibt es nur als Hypothese, und eine Unterscheidung in ‹normale› und ‹nicht normale› Menschen hat eine zutiefst diskriminierende und selektive Tendenz, die über die spezifisch humane Konstitution der personalen Existenz hinwegtäuscht.

Nach Viktor Frankl bedeutet Menschsein im ursprünglichsten Sinne Freiheit. Nur der Mensch ist in der Lage, sich einer Kategorisierung (bspw. im ICD-10-Maßnahmenkatalog) und Bindung an normative Wertmaßstäbe zu entziehen, so Frankl ([9]2019):

> «Denn erst dort ist sein Sein – Verantwortlichsein, erst dort ‹ist› der Mensch eigentlich, oder: erst dort ist der Mensch ‹eigentlich›. ⍰ *Je genormter eine Maschine ist, umso besser ist sie, je genormter jedoch ein Mensch – je mehr er in seinem (Rassen-, Klassen-, oder Charaktertypus aufgeht und einer Durchschnittsnorm entspricht –, umso abtrünniger ist er der ethischen Norm.*» (S. 128; Hervorhebungen im Orig.)

Anthroposophische Anthropologie betrachtet den Menschen unter dem Aspekt lebensübergreifender Entwicklung, die eine Prä- sowie Postexistenz für möglich hält und somit den Gedanken der Reinkarnation impliziert. Auch Frankl stellt sich dieser Frage des «Fortlebens des Geistigen im Menschen nach dem Tode» und begründet diese Annahme mit den verschiedenen Bewusstseinsformen der Wachheit, des Traums und Schlafs:

> «Es gibt also so etwas wie ein leibliches Kontinuum ohne seelisch-geistiges Kontinuum. Warum sollte nicht umgekehrt ein geistiges Kontinuum möglich sein, das über mehrfache leibliche Existenzen hinaus fortbesteht? Womit wir uns an dieser Stelle konfrontiert sehen, ist sohin nichts anderes als die Frage nach der grundsätzlichen Möglichkeit wiederholter leiblicher Existenzen. [...] Dass die Kontinuität der geistigen Person, deren Identität über die einzelnen ‹Inkarnationen› hinweg, ihr selber zeitlebens nicht bewusst wird, brauchte uns nicht zu wundern; denn wenn wir etwa träumen, dann aufwachen, dann wieder einschlafen und weiterträumen, ist uns Träumenden wohl kaum jemals bewusst, dass wir zwischen beiden Träumen wach waren.» (Frankl [4]2018, S. 132 ff.)

Mein Anliegen an dieser Stelle ist vor allem aber die Parallelität der Metapher des musizierenden Menschen. Zur Illustration wird oftmals das Bild des Pianisten herangezogen, wie hier von Ernst-Michael Kranich:

«Die Präexistenz gilt der anthroposophischen Anthropologie als eine Auffassung, die so begründet ist, wie die Meinung, dass ein Pianist sein Können persönlich errungen habe. Man ist sich dessen gewiss, auch wenn man ihn nie beim Üben gesehen hat. Denn man weiß aus anderen Erfahrungen, dass einem pianistischen Können Üben und Lernen, d.h. Entwicklung zugrunde liegen. Ebenso kann man aber auch wissen, dass es andere Eigenschaften (z.B. Begabung und höhere Gefühle) nur durch vorangegangene Entwicklung gibt.» (Kranich 1990, S. 116)

Im heilpädagogischen Bereich wird diese Metapher in der Hinsicht aufgegriffen, dass das Kind (respektive der erwachsene Mensch) seine Entwicklung unter den erschwerenden Bedingungen des «verstimmten» psychophysischen Instruments seiner Leiblichkeit zu gestalten hat. Auch in der Logotherapie ist diese Metapher nicht unbekannt. Die Pianistin (als Bild für die noetische Dimension) findet im Instrument (dem Körper) eine Möglichkeit des Ausdrucks, der Melodie, die auch als Bild für die Psyche gelten kann. Auch wenn das Instrument als Werkzeug nicht intakt ist, so bleibt dennoch die Pianistin als Person (personare = durchtönen) unantastbar (bzw. unversehrt) vorhanden. Wenngleich Frankl selbst diesen Vergleich nicht für perfekt hält (Frankl ^{4}2018, S. 107), so zieht er ihn dennoch heran, um die Korrelation und enge Verflechtung von Geist und Soma zu illustrieren:

«[…] Die Beziehung zwischen geistiger Person und somatischem Organismus ist eine instrumentale; der Geist instrumentiert das Psychophysicum […] ja, sie [die geistige Person, G. S.] macht ihn überhaupt erst zu ‹ihrem›, indem sie ihn zum Werkzeug macht, zum Organon zum instrumentum.
So kommt es denn, dass sich die geistige Person zu ihrem Organismus analog verhält, wie der Musiker zum ‹Instrument›. Eine Sonate kann weder ohne Klavier noch ohne Pianisten gespielt werden. Aber so, wie jedes Gleichnis, so hinkt auch dieses; denn den Klavierspieler kann man sehen – während der Geist unsichtbar ist (ohne darum unwirklich zu sein). Dass unser Gleichnis in diesem Punkt hinkt, rührt daher, dass der Pianist ebensowohl wie das Klavier auf einer Ebene stehen – buchstäblich: nämlich auf ein und demselben Podium; während der Geist und der Leib sich keineswegs auf der ein und derselben Seinsstufe befinden.» (ebd.)

«Therapie»[5] versteht sich demzufolge nicht als ein Eliminieren der «Behinderung» oder als Anpassungshilfe für die Betroffenen, sondern als Begleitung in einem fortwährenden Prozess der Persönlichkeitsentfaltung in An-*Erkenntnis* der individuellen Existenz innerhalb eines sozialen Kontextes. Behinderung kann sich aufgrund leiblicher und umweltbedingter entwicklungshemmender Faktoren etablieren. Die Individualität selbst oder der «geistige Wesenskern» – Max Scheler nennt dies auch das «geistige Aktzentrum» (^{17}2007, S. 71) –, ist unangreifbar, unverfügbar, «unversehrt».

5 Therapie (altgriechisch θεραπεία *therapeia*) verstanden als «Dienst, Pflege, Heilung», «ganz werden»: Sinn.

Eine ähnliche Formulierung findet sich bei Viktor Frankl (1987), wenn er konstatiert:

> «Das Personale an der Psychose aufzuzeigen und aufscheinen zu lassen ist das Anliegen der Existenzanalyse. Sie versucht, den Fall transparent zu machen auf den Menschen hin, das Krankheitsbild transzendieren zu lassen auf ein Menschenbild zu. Das Krankheitsbild ist nämlich ein bloßes Zerr- und Schattenbild des eigentlichen Menschen – dessen bloße Projektion in die klinische Ebene hinein, und zwar aus einer Dimension des Menschseins heraus, die wesentlich jenseits von Neurose und Psychose gelegen ist, und in diesem metaklinischen Raum hinein geht die Existenzanalyse auch den Phänomenen und Symptomen neurotischen und psychotischen Krankseins nach.
>
> In diesem Raume entdeckt sie eine unversehrte und unversehrbare Menschlichkeit.» (S. 85 f.)

Psychische Beeinträchtigung oder auch eine sogenannte «geistige Behinderung» werden folglich sowohl in der Logotherapie als auch im anthroposophischen Verständnis in der mehr oder minder ausgeprägten bio-psycho-sozialen Barriere gegenüber der Sphäre des Geistigen und weniger als allgemein menschliches Phänomen oder defektologische Zuschreibung begriffen. Relevant sind daher die An-*Erkennung* und der An-*Spruch* der geistigen Person über die materiellen Dimensionen hinaus. Hierzu bedarf es des Prinzips des Zwischenmenschlichen als spezifischem Wirkfaktor, wie Martin Buber dies in seiner Dialogphilosophie formuliert:

> «Es kommt auf nichts anderes an, als dass jedem von zwei Menschen der andere als dieser bestimmte Andere widerfährt, jeder von beiden des anderen so gewahr wird und eben daher sich zu ihm verhält, wobei er den anderen nicht als sein Objekt betrachtet und behandelt, sondern als seinen Partner in einem Lebensvorgang. […] Ich meine jedoch mit der Sphäre des Zwischenmenschen lediglich aktuale Ereignisse zwischen Menschen, sei es voll gegenseitige, sei es solche, die sich unmittelbar zu gegenseitigen zu steigern oder zu ergänzen geeignet sind; denn die Partizipation beider Partner ist unerlässlich. Die Sphäre des Zwischenmenschlichen ist die Einander-gegenüber; ihre Entfaltung nennen wir das Dialogische.» (Buber [8]1997, S. 274)

Dieses Prinzip des Dialogischen im schöpferischen Augenblick in der Begegnung erweitert Buber zur existenziell-anthropologischen Grundkonstitution des Menschen, die auch einen Ausblick auf das Absolute miteinschließt. Der schöpferische Akt der Wechselrede ist in diesem Sinne als kreativer Prozess zu verstehen, bei dem die Dialogpartnerinnen und -partner im responsiven Verhältnis ihre jeweiligen Antizipationen und Gewohnheitsstrukturen verlassen und im interpersonal geteilten Lebenszusammenhang ein Außer-Ordentliches, Neues, ein Drittes, eine Sphäre des «Zwischen» bilden und damit als (Kultur-)Schaffende im konkret gelebten Leben gelten können.

Gemeinschaft als Möglichkeit zur konkreten Individuation

Gemeinschaft kann demzufolge in der An-*Erkennung* jedes einzelnen Mitgliedes zum miteinander gestalteten dialogisch-sozialen Raum werden, in dem die Menschen in gegenseitiger Bedeutsamkeit Empfangende und Gebende zugleich sind. Die strukturellen Gegebenheiten stellen dabei den Versuch dar, Aufgaben und Verantwortung für das gemeinsame Leben und Arbeiten auf je individuellem Niveau in der je konkreten Situation mit den anderen zu teilen. Sie bilden einen Rahmen zur Sinn-Konstitution menschlichen Lebens, wie auch Frankl bemerkt:

> «Er [der Mensch, G. S.] wird also auf den Urtatbestand verwiesen, dass menschliches Dasein Verantwortlichsein ist. In der Existenzanalyse hat sich nun die Verantwortlichkeit als etwas erwiesen, das aus der Konkretheit der Person und Situation erwächst und mit dieser Konkretheit anwächst. [...] Einzigartigkeit und Einmaligkeit sind, wie wir sagten, für den Sinn menschlichen Lebens konstitutiv.» (Frankl ^{9}2019, S. 118 f.)

Damit kann sich die Demarkationslinie zwischen den Mitgliedern mit und ohne Behinderung zusehends verlieren. Das heißt auch: Nicht, was Einzelne nicht können, sondern was sie zum Gemeinsamen beitragen können, gewinnt an Bedeutung, wie auch Frankl bemerkt:

> «Gerade aus der Unvollkommenheit des Menschen folgt aber die Unentbehrlichkeit und Unaustauschbarkeit jedes Einzelnen; denn der Einzelne ist zwar unvollkommen, aber jeder ist es in seiner Art. Der Einzelne ist nicht allseitig, dafür aber einseitig und dadurch einzigartig.» (ebd., S. 124)

Freiheit bedeutet hier allerdings nicht allein die willkürliche Erfüllung persönlicher Wünsche und Bedürfnisse, sondern die solidarische Aufgabe der Bildung eines wertgeleiteten sozialen Organismus, in dem die Individualitäten der frei gewählten Gemeinschaft dienen und die Gemeinschaft sich wiederum der maximalen Förderung der Einzelnen verpflichtet fühlt. Individuum und Gemeinschaft stehen in enger und reziproker Koexistenz zueinander, denn der «Sinn der Individualität erfüllt sich erst in der Gemeinschaft» (ebd., S. 125).

Auf der Basis dieses solidarischen Handlungsrahmens können Begegnungen – auch unter der Bedingung des Verzichts auf behinderungsspezifische Klassifizierungen – über alltägliche Routinen hinaus zu partnerschaftlichen Beziehungen werden, ohne eine allgemeine romantisierende Gleichmacherei zu pflegen. Gemeinschaft wird somit für die individuellen Teilhabenden zur Aufgabe:

> «Über die gefühlsmäßige, also gleichsam nur ‹zuständliche› Gegebenheit der Sozialität des Menschen hinaus erscheint so die Gemeinschaft in ihrer Aufgegebenheit. Aus ihrer bloßen psychologischen oder biologischen Faktizität – ist

> doch der Mensch ein ‹Zoon politikon› ▯ wird ein ethisches Postulat. Aber die individuelle Existenz braucht nicht nur die Gemeinschaft, um sinnvoll zu werden, sondern umgekehrt braucht auch die Gemeinschaft die individuelle Existenz, um selber Sinn zu haben.» (ebd.)

Da sich dies in der modernen Gesellschaft mit ihrer Tendenz zur Atomisierung nur schwer von selbst ergibt, bedarf es eines professionell gestalteten sozialen Raums, innerhalb dessen sich die Menschen diese Form des Zusammenlebens zu ihrer Aufgabe machen. Integration wird in diesem Sinne inversiv als ein Teilabschnitt der Inklusion verstanden: Nicht der Mensch mit Behinderung integriert sich in die «normale» Gesellschaft, sondern die Beteiligten suchen nach einer gemeinsamen, allen adäquaten Lebensform, die selbstverständlich dem Standard allgemeiner gesellschaftlicher Bedingungen entspricht. Begegnung kann somit zur Begegnungskultur werden, indem Beziehungen sich über die soziale Dienstleistung hinaus zum solidarischen Miteinander entfalten.

Sozialtherapie konkret

Selbstbestimmung im sozialen Miteinander

Das Erwachsensein bedeutet nicht in jedem Fall die Anpassung an normative gesellschaftliche Maßstäbe und Strukturen, sondern impliziert die Suche nach der eigenen Individualität und ihrer Entfaltung. Die Bildung eines partizipativen sozialen Raums bietet hier angesichts dauerhafter und partnerschaftlicher Beziehungen die Möglichkeit, den hohen Anpassungsdruck infolge der zivilisatorischen Erscheinungen einer postindustriellen Gesellschaft ein Stück weit aufzuheben. Somit können auch für Menschen, die sich nur sehr schwer ausdrücken können oder von den oftmals komplexen und schnellen Abläufen gegenwärtiger Lebensart überfordert sind, Freiräume entstehen. Durch hohe Kontinuität im Zusammenleben kann eine Dimension von Kommunikation entstehen, die weit über die rein verbale Informationsvermittlung hinaus ein vertieftes Verständnis für die Person ermöglicht. Dies bietet einen optimalen Rahmen, Selbstbestimmung nicht nur als zunehmende Eigenständigkeit, sondern im Sinne von individueller Selbstverwirklichung in der Resonanz eines sozialen Miteinanders anzuregen und zu unterstützen.

Selbstgewissheit durch Rhythmus und Rituale

Die Erfahrung zyklischer Zeitabläufe mit wiederkehrenden Ereignissen lenkt das Bewusstsein auf den Einbezug in solche Abläufe und verankert damit die eigene emotionale Zugehörigkeit.

Die Rhythmen des Jahresablaufes werden bewusst akzentuiert durch Feiern der Jahresfeste, persönliche Jubiläen oder sonstige wiederkehrende Gemeinschaftsveranstaltungen. Darüber hinaus bieten gemeinsame feste Punkte im Tagesablauf eine klare und überschaubare zeitliche Struktur und Orientierung. Auf dem Hintergrund einer solchen Basis von bekannten und zu erwartenden Ereignissen können Menschen, die in linearen, intentional ausgerichteten zweck- und ökonomiegeprägten Zeitabläufen überfordert wären, ein hohes Maß an Selbstgewissheit und Selbstständigkeit gewinnen, die eine eigene Qualität erlebten Zeitempfindens erlauben.

Spiritualität

Entgegen dem heutigen Trend einer fortschreitenden Säkularisierung, mit der die Meinung einhergeht, dass Rationalität und Glauben einander ausschließen, ist es den sozialtherapeutischen Einrichtungen ein wichtiges Anliegen, dass die Mitglieder spirituelle oder religiöse Inhalte pflegen dürfen, sofern ein Interesse daran besteht. Je mehr der Einfluss und die Grenzen materialistischen Denkens in den letzten Jahrzehnten offensichtlich wurden, desto deutlicher zeigte sich ein Bedürfnis nach Spiritualität. In einem bio-psycho-sozial-spirituellen Menschenverständnis können in Erklärungen für Verhaltensweisen von Menschen auch sinnsuchende und sinnstiftende spirituelle Beweggründe erkannt und einbezogen werden.

Der Begriff der Spiritualität wird im Selbstverständnis der sozialtherapeutischen Arbeit als transzendentes Konzept verstanden, das reale psychische Folgen und somit einen elementaren Einfluss auf die persönliche Identität und Lebensqualität haben kann. In Rekurs auf Louis Bouyer beschreibt Aimé Solignac (1995) «Spiritualität» als das innere religiöse Leben, das sich von der äußeren Erfüllung der Gebote und der Einhaltung von Riten unterscheidet. Zugleich begreift er Spiritualität gegenüber dem abstrakten Studium der Glaubensinhalte im Bewusstsein in ihrer lebendigen Beziehung zu ihnen sowie in ihrem wirklichen Erfassen (S. 1420). Im religiös-spirituellen Erleben kann eine Ahnung von der Grundlage der menschlichen Existenz entstehen, und es ermöglicht somit eine Berührung mit dem eigenen «höheren Selbst», der Individualität. Indem die Relativität des alltäglichen Lebens mit seinen ganzen Unzulänglichkeiten spürbar wird, ist das religiös-spirituelle Leben eine Hilfe, mit Krisen besser umzugehen.

Auch Behinderung kann in diesem Sinne als Krise aufgefasst werden. Die Beschäftigung mit spirituellen Idealen kann gleichzeitig eine therapeutische, gesundende Wirkung haben.

Therapeutische Gesichtspunkte der Arbeit

Die im sozialen Verband bestehenden Werkstätten mit speziellen Produktionsverfahren in vornehmlich handwerklich geprägten Arbeitsfeldern bieten die Möglichkeit zur beruflichen Identifikation und damit die Gelegenheit, einer erfüllenden Tätigkeit nachzugehen: Die Produzentinnen und Produzenten fertigen zusammen mit den Fachkräften hochwertige Güter in Kleinmanufakturen und tragen somit über die Herstellung hinaus zum Schutz traditioneller Handwerkskultur bei. Die unterschiedlichen Handwerkstraditionen bieten neben vielfältigen therapeutischen Anregungen im manuellen Tun gleichermaßen Freude und Zufriedenheit mittels des produktiven Schaffensakts.

Im praktischen Handeln kann in der konkreten persönlichen (Mit-)Verantwortung für das Produkt oder auch die Dienstleistung ein Bewusstsein für die originäre und einzigartige Aufgabe entstehen und – als Berufung – zu einer hohen Identifikation mit dem jeweiligen Berufsfeld führen. Wert und Sinn erhält die Arbeit aber neben dieser Verwirklichung schöpferischer Werte vor allem über den Bezug zur Gemeinschaft:

> «Im besonderen kann die Arbeit jenes Feld darstellen, auf dem die Einzigartigkeit eines Individuums in Beziehung zur Gemeinschaft steht und so Sinn und Wert bekommt.» (Frankl [9]2019, S. 167)

Daher werden Profit und Rentabilität der Persönlichkeitsentwicklung und Relationalität untergeordnet, was auch Thomas Weihs (1994) bekräftigt:

> «Das übliche Lohnsystem, in dem menschliche Arbeit zeitbemessen verkauft wird, widerspricht zutiefst dem Sozialempfinden der Gegenwart. Jeder Mensch weiß, dass zur Befriedigung seiner Bedürfnisse Arbeit nötig ist. Aber niemand kann heute seine Bedürfnisse nur durch eigene Arbeit befriedigen, sondern mit anderen zusammen die Bedürfnisse aller, hoffend dass die Arbeit anderer auch seine Bedürfnisse erfüllen wird. Das Lohnsystem verschleiert diesen Sachverhalt und verhüllt damit unsere Schicksalsverwobenheit. Wenn aber jemand für eine Gesellschaft arbeiten soll, so muss er den Sinn seiner Arbeit in dem Wert und den Idealen der Gesellschaft finden.» (S. 22)

In den Werkstätten arbeiten Menschen mit unterschiedlichen Fähigkeiten zusammen, von den verantwortlich Leitenden bis zu Menschen mit komplexen Assistenzbedarfen, und wirken bei der Entstehung eines Produkts zusammen. Es wird darauf geachtet, den Mitarbeitenden einen Überblick der Produktionskette vom Erwerb des Rohmaterials über die einzelnen Herstellungsschritte bis hin zur Fertigstellung und dem Verkauf des Werkstücks zu ermöglichen, um damit die Sinnhaftigkeit ihrer Arbeit erfahrbar zu machen. Arbeit wird so als ein sozialer Prozess begriffen, an dessen gelungenem Ende das qualitativ hochwertige Produkt steht, das seinen Sinn und Wert für die Produzierenden jedoch letztlich erst in seiner Leistung für die Gemeinschaft erhält (Frankl [9]2019, S. 167).

Freizeitangebote als Erlebnis- und Schaffens-Werte

In der Regel steht den Teilnehmenden eine breite Palette an möglichen Freizeitaktivitäten zur Wahl. Hierfür werden Wünsche aufgegriffen und auf Realisierbarkeit hin überprüft. Einen Schwerpunkt des Freizeitprogramms stellen neben kulturellen und musischen Angeboten (Chorsingen, Schauspielen, Musizieren etc.) insbesondere bewegungsstimulierende und sportliche Aktivitäten (Schwimmen, Gymnastik, Walken, Wandern usf.) zur Anregung und Pflege körperlicher Gesundheit und Fitness dar. Nicht permanent, jedoch im Sinne eines lebenslangen Lernens werden je nach Bedarf und Wunsch immer wieder Kurse zur Aneignung, Aufrechterhaltung und Übung von allgemeinen Kulturtechniken, dem Erlernen von Fremdsprachen oder auch zum Umgang mit Computer und Internet angeboten.

Biografiegespräche zum Umgang mit Einstellungswerten

Ein bedeutendes Mittel der Lebensbegleitung stellt das Biografiegespräch bzw. Entwicklungsgespräch dar, das insbesondere in Krisensituationen, bei Stagnation, vor schwierigen Entscheidungen, aber auch bei der Auseinandersetzung mit der eigenen Lebenssituation ein wirksames Instrument zur Bewältigung sein kann. Es weitet den Blick, führt aus der Enge positivistisch-rationalistischer Denkart heraus und ermöglicht die Sicht auf neue Perspektiven. Die Erschließung der biografischen Lebensdaten findet mit der/dem Betreffenden selbst mittels unterschiedlichster Methoden statt, wie beispielsweise anhand von Fotomaterial oder bildgestaltenden Exponaten, gegebenenfalls auch mithilfe künstlerischer Aktivitäten. Oftmals werden vertraute Personen aus dem Umfeld der Betroffenen hinzugezogen, um das Lebensbild abrunden zu können. Persönliche Begegnung geht weit über reine Informationsvermittlung oder verbale Kommunikation hinaus. Insbesondere bei sprachlich bedingten Erschwernissen in der Interaktion ist – über die Methode der Unterstützten Kommunikation hinaus – die kreative Schöpfung gemeinsamer Wege von Gesprächsmöglichkeiten auf den Ebenen des Körperausdrucks, der Bewegungsgestalt oder auch nur in Form kleinster Gesten gefordert. Auch die biografische Gestalt als Ausdruck der Individuation ist als ein basaler Kommunikationsausdruck zu verstehen, der durch die gemeinsame Ansicht zum Schlüsselerlebnis der Existenz werden kann. In diesem Zusammenhang stellt die unter medizinischen oder pädagogischen Aspekten erhobene Anamnese lediglich das «objektive Gerüst» dar, das aufgrund der fachspezifischen Einschränkungen mitunter *Wesentliches* unbeachtet lässt. Gemäß Husserls Epoché richtet sich das Biografiegespräch als «Goldgräberarbeit» auf eine gemeinsame *Sinn-Erhellung* des Lebens, die gegenüber symptomatisch-diagnostischer und den einseitigen Verstehensstrukturen der Betrachtenden die psychophysischen wie biografischen Phänomene in der inneren Anschauung nachbilden und in ihrer Erscheinung hervortreten lassen kann. Die solchermaßen in der inneren Anschauung nachgebildete und im Wort re-aktualisierte biografische Zeitgestalt (im Intuitionsakt oder mittels der Realfantasie Martin Bubers), in der Vergangenheitselemente und Zukunftsaspekte zusammenfließen, kann in der aktuellen Begegnung mit dem anderen Menschen im verantwortlichen Einschluss des «Du» zur Wesensbegegnung werden.

Gemeinschaft als Rahmen für situativ-konkrete Handlungsbedingungen

Im ständigen Bemühen, Regeln und Strukturen nicht lediglich in Form normativer Ordnungen zu implementieren, sondern in Kooperation und unter Berücksichtigung aller Beteiligten im prozeduralen Geschehen zu entwickeln, wird die Planung, Durchführung und Kontrolle als gemeinsame Aufgabe verstanden und erfüllt. Dies erfordert nicht nur, eigene Bedürfnisse zu erkennen und adäquat zu formulieren, sondern zudem infolge der oftmals asymmetrischen Voraussetzungen die Wahrnehmung und Akzeptanz der anderen im steten Bemühen bis hin zur altruistischen Stellvertretendenschaft zu üben. Somit wird die Bildung einer konstitutionellen Gestalt analog den Bedürfnissen und Interessen aller Beteiligten angestrebt, und es besteht im Rahmen der geltenden Strukturen eine hohe Aufmerksamkeit für eine flache hierarchische Gestaltung der Entscheidungsbefugnisse und Verantwortlichkeiten. Diese resultieren insbesondere aus den Interessen und Bedarfen aller partizipierenden Personen. Dabei korreliert das Maß des Mitspracherechts sowohl mit dem Vermögen und der Bereitschaft, Verantwortung zu übernehmen und zu tragen, als auch mit der persönlichen Integrität, für andere und in deren Sinne mitzuentscheiden. Hierbei ist von besonderer Bedeutung, dass die Entscheidungen nicht praxisfern, sondern in engem situativem Kontakt mit den Beteiligten getroffen werden. Die Abbildung dieser Ideale bedeutet in der konkreten Umsetzung einerseits die dem Wachstum der Organisation gemäße, immer wieder neu zu ergreifende inhaltliche Gestaltung der Gremienarbeit und der Strukturen.

Andererseits wird es als elementare Aufgabe begriffen, Möglichkeiten und Formen der Mitsprache und Mitverantwortung fortwährend zu überprüfen und in überschaubarer und sinnvoller Weise zu verwirklichen.

Schlussbemerkung

Sozialtherapie, so wie sie oben beschrieben wird, bietet ein optimales Feld, die individuellen Sinnentwürfe der Menschen zu stärken. In kooperativer Gemeinschaft können neue Sinngebungssysteme geschaffen werden, die es allen Mitgliedern gestatten, sich in Verantwortung füreinander und für die Erde in Freiheit selbst zu verwirklichen und somit «ein Teil von Welt zu sein».

Literatur

Buber, M. (^{0}1997): Das dialogische Prinzip. Lambert Schneider, Heidelberg.

Frankl, V. E. (1987): Logotherapie und Existenzanalyse. Piper, München.

Frankl, V. E. (^{4}2018): Der leidende Mensch. Anthropologische Grundlagen der Psychotherapie. Hogrefe, Bern.

Frankl, V. E. (^{9}2019): Ärztliche Seelsorge. Grundlagen der Logotherapie und Existenzanalyse. dtv, München.

König, K. (1991): Drei Grundpfeiler von Camphill. In: Pietzner, C. (Hg.): Camphill. Fünfzig Jahre Leben und Arbeiten mit Seelenpflege-bedürftigen Menschen. Verlag Freies Geistesleben, Stuttgart, S. 26–32.

Kranich, E.-M. (1990): Anthropologie – das Fundament der pädagogischen Praxis. In: Bohnsack, F.; Kranich, E.-M. (Hg.): Erziehungswissenschaft und Waldorfpädagogik. Der Beginn eines notwendigen Dialogs. Beltz, Weinheim/Basel, S. 96–139.

Scheler, M. (^{17}2007): Die Stellung des Menschen im Kosmos. Bouvier, Bonn.

Steiner, R. (^{4}2010): Heilpädagogischer Kurs. Zwölf Vorträge für Heilpädagogen und Ärzte (GA 317). Rudolf Steiner Verlag, Dornach.

Strohschein, A. (^{4}1970): Die Entstehung der anthroposophischen Heilpädagogik. In: Krück v. Poturzyn, M. J.: Wir erlebten Rudolf Steiner. Erinnerungen an Rudolf Steiner. Verlag Freies Geistesleben, Stuttgart, S. 211–226.

Weihs, T. J. (1974): Sozialtherapeutik – Ziele und Aufgaben. In: Vereinigung der Heil- und Erziehungsinstitute für Seelenpflege-bedürftige Kinder e.V. und Sozial-Therapeutische Werkgemeinschaft e. V. (Hg.): Heilende Erziehung aus dem Menschenbild der Anthroposophie. Verlag Freies Geistesleben, Stuttgart.

Praktische Logotherapie im heilpädagogischen Handeln

Die tiefe Sehnsucht des menschlichen Herzens ist der «Wille zum Sinn» (Frankl).

Carl Gustav Jung (1875–1961), Psychologe, Psychiater und Psychotherapeut, hat im Zusammenhang mit seinen Studien über Symbolik, Mythen und Archetypen immer wieder die Frage gestellt, was die unbewusste Psyche über uns denkt. Er hat tief in die menschliche Seele geschaut und erkannt: «Der Mensch braucht unbedingt Vorstellungen und Überzeugungen, die seinem Leben einen Sinn geben und ihn in die Lage versetzen, für sich einen Platz im Universum zu finden. Er kann die unglaublichen Leiden ertragen, wenn er davon überzeugt ist, dass sie einen Sinn haben», denn die tiefe Sehnsucht des menschlichen Herzens lässt sich nicht mit einem Bankkonto erfüllen (Jung 1980, S. 89 und S. 102).
Um diese tiefe Sehnsucht des menschlichen Herzens geht es dem Wiener Neurologen, Psychiater und Psychotherapeuten Viktor E. Frankl (1905–1997), dem Begründer der Logotherapie und Existenzanalyse. Anlässlich seines 100. Geburtstages am 26. März 2005 fand in Wien ein internationaler Kongress für Logotherapie und Existenzanalyse mit namhaften Ärzten, Psychologen, Philosophen, Theologen und (Heil-)Pädagogen statt. Aus gleichem Anlass gab seine bedeutendste Schülerin Elisabeth Lukas den kommentierten Band *Der Seele Heimat ist der Sinn. Logotherapie in Gleichnissen von Viktor E. Frankl* (Kösel Verlag München, www.penguin.de/verlage/koesel) heraus, der in beeindruckender Weise in die Seelenheilkunde einführt, der es um seelische Heilung geht – und nicht um das Seelenheil. Frankl erhielt für sein Lebenswerk 29 Ehrendoktorate. Seine Bücher wurden in 22 Sprachen übersetzt.

Im Zentrum seiner Logotherapie und Existenzanalyse stehen ethische Werte, die als Orientierungsleitlinien für das diakonische Handeln zu verstehen sind. Bei diesem Handeln ist das menschliche Gewissen am Werk. Für Frankl ist das Gewissen ein Sinn-Organ, das in jeder Situation die konkrete Sinnmöglichkeit aufspüren kann.

Skizze der Logotherapie und Existenzanalyse in praktischer Hinsicht

Frankl war bereits mit 32 Jahren Facharzt für Psychiatrie und Neurologie. Er begründete die «Dritte Wiener Schule der Psychotherapie». Schon in jungen Jahren kritisierte er die Psychoanalyse von Sigmund Freud, mit dem er anfangs in engem Kontakt stand. Seine Kritik erweckte insbesondere die deterministische und reduktionistische Denkweise der «Ersten Wiener Schule der Psychotherapie». Bald schloss er sich dem Begründer der «Zweiten Wiener Schule der Psychotherapie», Alfred Adler, an. Während seines Medizinstudiums beschäftigte sich Frankl mit dessen Individualpsychologie; er blieb jedoch unzufrieden, da er vor allem eine Motivationstheorie vermisste.
Schon seine ersten empirischen Studien bestätigten die Sinnorientierung des Menschen. Es geht im menschlichen Leben nicht primär um Triebbefriedigung (im Sinne Freuds) und auch nicht um Kompensation von Minderwertigkeitsgefühlen bzw. das Erreichen einer Machtposition im sozialen Kontext (im Sinne Adlers), sondern um das Realisieren von sinnvollen Aufgaben, für die ein Mensch sich nach seinem Gewissen frei entscheidet. Mit Elisabeth Lukas halten wir fest: «Sigmund Freud entdeckte den ‹Willen zur Lust›, Alfred Adler entdeckte den ‹Willen zur Macht›, Viktor Frankl entdeckte den ‹Willen zum Sinn›» (Lukas 1990, S. 17).

Frankl erforschte den Willen zum Sinn in der Form seiner Frustration. Er leitete in der Wiener Psychiatrischen Klinik 14 Jahre die Abteilung für Frauen, die aus dem Leben scheiden wollten. In dieser sogenannten Selbstmörderinnenabteilung konnte er den Ursachen des Selbstmordes nachgehen und mit der Logotherapie den Patientinnen ein lebensrettendes Angebot machen. Und in den Konzentrationslagern Theresienstadt und Dachau hatte er –von Hunger, Flecktyphus und Zwangsarbeit schwer gezeichnet und mit kaum mehr 40 Kilogramm Gewicht – unter äußerst qualvollen Bedingungen die Logotherapie und Existenzanalyse an sich selbst erprobt. Die Orientierung auf Sinn hin ermöglichte ihm das Überleben. Dank der menschlichen Urphänomene der Selbsttranszendenz und der Selbstdistanzierung konnte er sich über die unvorstellbaren Grausamkeiten erheben und sich von ihnen distanzieren.

Frankl hatte also in existenziellen Extremsituationen – wissenschaftlich und praktisch – reflektiert und selbst erprobt: Der Mensch ist ein Wesen, dessen zentrales und aus der Tiefe seiner Person kommendes Charakteristikum das Suchen nach Sinn ist. Die menschlichen Grundkräfte

- der Selbsttranszendenz der Existenz auf den Logos (zum Beispiel erlittene Traumata im Akt der Annahme und Verzeihung ins Geistige transzendieren) und
- der Selbstdistanzierung (zum Beispiel durch geistiges Hinauswachsen über die eigene Emotionalität und Hineinwachsen in Aufgaben, die zu erfüllen sind)

ermöglichen jedem Menschen, eine sinnvolle Antwort auf seine Lebenssituation zu finden: Sinn ist keine abstrakte Kategorie, sondern eine konkrete und praktische Möglichkeit des Menschen.
Die beiden Grundkräfte ermöglichten Frankl den Weg «in ein Reich geistiger Freiheit und inneren Reichtums» – und damit das Überleben. «Die Trotzmacht des Geistes» (Frankl 1982, S. 115) sagte ein Ja zum Leben: Man kann dem

> «Menschen im Konzentrationslager alles nehmen, nur nicht: die letzte menschliche Freiheit, sich zu den gegebenen Verhältnissen so oder so einzustellen. [...] Die geistige Freiheit des Menschen, die man ihm bis zum letzten Atemzug nicht nehmen kann, lässt auch noch bis zum letzten Atemzug Gelegenheit finden, sein Leben sinnvoll zu gestalten.» (Frankl 1977, S. 108 f.)

Diese bei vielen psychisch kranken oder gestörten Menschen erfahrene und an sich selbst erprobte Erkenntnis ist ein von Kultur und Gesellschaft unabhängiges menschliches Urphänomen. An Tausenden von Beispielen, die uns aus allen Kontinenten bekannt sind, konnte in vielen Studien nachgewiesen werden, dass Sinnfindung jedem Menschen offensteht, «unabhängig vom Intelligenzquotienten, unabhängig vom Bildungsgrad, unabhängig auch von seiner Geschlechtszugehörigkeit und von seinem Alter» (Frankl & Kreuzer 1986, S. 33).

Frankl hinterfragt die Einstellung des Menschen zu seinem Schicksal. Er fragt nach dem Sinn, und es bleibt ihm in der Extremsituation äußerster Entmenschlichung der Glaube an den Sinn des Lebens.

> «Der Mensch ist fähig, sich innerlich von einem Geschehen zu distanzieren, sich in innerer Schau einem anderen Erleben zuzuwenden und auch an dem Negativen noch das kleinste Positive herauszufiltern, eben trotzdem ja zum Leben sagen zu können.» (Rebensteiner-Zips 1996, S. 181)

Die Logotherapie antwortet auf die existenzbedrohende ‹Sinn-Leere› mit einer haltgebenden ‹Sinn-Lehre›.

Konkretisierung der Sinnperspektive

Erwachsene Menschen einer Werkstatt für behinderte Menschen und Dorothea Schmidt-Thimme, Mutter einer behinderten Tochter, sitzen im Gesprächskreis zusammen.

> «Da kommt Alfred herein – aber es ist kein Stuhl mehr vorhanden. Wir beraten, und es kommen verschiedene Vorschläge: ‹Soll wieder gehen!› ‹Soll stehen bleiben!› ‹Soll sich der Marietta auf den Schoß setzen!› Allgemeine Zustimmung ist nicht zu erreichen. Da steht plötzlich Olaf auf – selten hat man bisher ein Wort von ihm gehört – geht zur Tür, geht hinaus und kommt nach 3 Minuten mit einem Stuhl in der Hand zurück. Nun kann Alfred sich hinsetzen. Alle klatschen zufrieden über diese Lösung.
> Birgit ist sehr nah am Wasser gebaut. Bei der geringsten Gelegenheit muss sie weinen und leidet selbst unter diesem Zwang. Vor allem fällt es ihr schwer, den einmal in Gang gesetzten Tränenfluss wieder zu stoppen. ‚Zu Hause', so berichtet sie bei einem Gespräch über ihre Schwäche, ‚da nehme ich die Katze auf den Schoß und streichle sie, da wird es dann besser.' Schlagfertig ruft Hermann ihr zu: ‚Musst Katze mitbringen in die Werkstatt.' Alle lachen über diesen Vorschlag, und wir sprechen ausführlich über die Möglichkeit, diesen Vorschlag zu realisieren.» (Klein & Schmidt-Thimme 1992, S. 82)

Frankl schreibt:

> «Zu uns wird ein etwa 60jähriger Mann gebracht, der an Demenz [...] leidet. Er hört Stimmen, [...] ist autistisch, tut den ganzen Tag nichts anderes als Papier zerreißen und führt solcherart ein scheinbar ganz und gar sinnloses Leben. [...] Und dennoch: Welch eigenartiger, merkwürdiger Charme geht von diesem Menschen aus, vom Kern seiner Menschlichkeit – die von der Psychose unberührt geblieben ist. [...] Und trotz aller Untauglichkeit ist sein Leben gerade das Gegenteil von ‹lebensunwert›: auf geheime, höchst verborgene Weise ist es in höchstem Maße sinnschwanger und lebenswürdig!» (Frankl 1987a, S. 145 f.)

Die Beispiele zeigen: Die Logotherapie und Existenzanalyse ist eine Verstehens- und Handlungsgrundlage für alle Menschen, für sogenannte Nichtbehinderte und für sogenannte Behinderte, für Ausgegrenzte und Benachteiligte.

Heilpädagogisches Wahrnehmen und Verstehen

Im Verständnis der Logotherapie und Existenzanalyse ist der Mensch kein primär trieborientiertes Wesen, wie Freud meinte, er ist auch kein primär machtorientiertes Wesen, wie Adler meinte, er ist ein auf Sinn hin orientiertes Wesen. Das Bedürfnis nach Sinn ist stärker als das Bedürfnis nach sexueller Triebbefriedigung und nach Kompensation von Organminderwertigkeiten zum Zweck der Demonstration von Macht.

Frankl erkannte, dass die Menschen heute primär von existenzieller Frustration bedroht sind. Gerade Professionellen, die in menschlichen Grenzsituationen tätig sind (Ärzten, Heilpädagogen, Psychologen, Sozialarbeitern, Therapeuten u.a.) wird die Erfüllung des Willens zum Sinn oft versagt. Sie können ein negatives Lebensgefühl, das mit dem Gefühl einer inneren Leere einhergeht, entwickeln. Sie brennen aus, leben dann in einem «existenziellen Vakuum».

Folge dieser inneren Leere ist, dass sie nur das tun, was auch die anderen tun: Sie gleichen ihre Einstellung der (vor)herrschenden Meinung an und werden Konformisten. Oder sie tun das, was die anderen von ihnen erwarten, und fügen sich der totalitären Machtausübung. Darüber hinaus gibt es noch eine spezifische Störung, nämlich die «noogene Neurose», die ätiologisch auf das Gefühl der Sinnlosigkeit zurückgeht, also auf die Verzweiflung, dass es einen solchen Sinn gar nicht gibt. Hier ist relativierend anzumerken, dass noogen-neurotisches Verhalten häufig durch dispositionelle Bereitschaft begünstigt wird und das gelegentlich anzutreffende Erleben von Sinnlosigkeit nicht an sich schon eine psychische Störung ist.

Was ist zu tun, wenn sich der Mensch in einem existenziellen Vakuum befindet oder die Frustration des Sinnes sich bereits als noogene Neurose ausdrückt? Dieser Mensch ist zuallererst zu verstehen. Für ihn und mit ihm hat der Heilpädagoge zu handeln. Der ethische Anspruch auf Hilfe und Unterstützung wird gerade dort notwendig, wo der Andere nicht nach gesellschaftlichem Erwartungsverhalten verrechnet werden kann. Hier wird der Heilpädagoge als Begleiter und Berater sich um eine Beziehungsgestaltung bemühen, die den Anderen in die Lage versetzt, in seinem Leben Möglichkeiten der Sinnorientierung zu entdecken. So ermöglicht er dem Hilfebedürftigen, die in der Beziehungssituation enthaltene Sinnmöglichkeit zu verwirklichen. Dieser innere Beziehungsvorgang ist nur auf dem individuellen Niveau des Anderen möglich. Er kann nicht erzwungen werden und ereignet sich unmittelbar im unverfügbaren Raum des Zwischen, das sich im Buber'schen Grundwort «Ich-Du» ausdrückt. In diesem Ich-Du-Beziehungsraum ist keine Begrifflichkeit mehr dazwischen. Die Beziehung wird gelebt. Ein Heilpädagoge, der mit diesem Können dem Du antwortet, «lebt im Geist», der «zwischen Ich und Du» ist (Buber 1984, S. 41).

Nach meinen Erfahrungen kann durch verstehendes Unterstützen, Begleiten und Beraten jedem Menschen ermöglicht werden, seine eigene Entwicklung selbst zu gestalten. Hier kommt es auf das dem pädagogischen Handeln innewohnende diagnostische Bemühen an, den Anderen wirklich zu verstehen, d.h. «dem nach[zu]spüren, was ihm durch den Kopf geht, was er im Herzen bewegt und welche Anliegen er durch sein Handeln verfolgt» (Kautter 1993, S. 288). Hier wird der Heilpädagoge sich in seine Situation hineinversetzen und sich in ihn einfühlen (Empathie). Einfühlung heißt auch: in sich selbst hineinhören, die Gefühle wahrnehmen, die der Andere in einem selbst auslöst, ihrer Herkunft in der eigenen Lebensgeschichte nachspüren, sich selbst erkennen, um den Anderen besser verstehen zu können. Mit diesem verstehenden Wahrnehmen kann der Heilpädagoge die konkreten Möglichkeiten der individuellen Sinnverwirklichung im Leben des Anderen aufspüren.

Zur Dimension des unverwundbaren Geistes

Kann der Geist des Menschen behindert sein? Sind Menschen, die wir als ‹geistig behindert› bezeichnen, wirklich in ihrem Geist behindert, oder werden sie erst durch eine reduktionistische Wissenschaft dazu gemacht? Geist darf nicht mit Kognition gleichgesetzt werden. Menschen, die unter ihrer kognitiven Beeinträchtigung leiden, nehmen uns in die Pflicht: «Worte sind Handlungsmandate, und manchmal ist eine klassifikatorische Entscheidung eine Sache von Leben und Tod» (Strauss, zit. n. Thalhammer 1990, S. 535). Nach der evolutionären Erkenntnistheorie repräsentiert der Geist des Menschen, wie der Geist der Menschheit, etwas von dem Geist, der vom Anfang an in der Welt wirkt (Ditfurth & Zilligen 1990). Diese grundlegenden Zusammenhänge, erkannt aus der Reflexion einer langen kosmologischen Entwicklung, finden wir in analoger Weise in Frankls Analyse der menschlichen Existenz. Der Geist ist in seinem letzten Grund das geistig Unbewusste in der «‹Mitte› menschlichen Seins»: «Der Geist ist gerade an seinem Ursprung unbewusster Geist.» Hier ist er ursprünglich ganz er selbst. «Er ist sich selbst – unbewusst» (Frankl 1988, S. 24). In diesem Sinne ist jeder sogenannte geistig behinderte Mensch eine geistige Person – einzigartig und einmalig. Denn das geistig-existenzielle, d.h. das eigentliche menschliche Sein des Menschen beinhaltet die «tatsächliche Wesensgleichheit aller Menschen, die es uns gestattet, dem Anderen in uns selbst und uns selbst im Anderen zu begegnen, jedweder Andersartigkeit zum Trotz» (Lukas 1990, S. 103).

Bereits diese Aspekte zur Dimension des unverwundbaren Geistes verbieten es, die Bezeichnung ‹geistige Behinderung› auf Menschen anzuwenden, die kognitiv beeinträchtigt sind. Das spezifisch Menschliche des Menschen ist seine geistige Individualität, seine unantastbare und unzerstörbare Würde.

Der Mensch mit kognitiver oder einer anderen Behinderung ist vor allem durch die wegschauende und abweisende Gesellschaft, durch negative Zuschreibungen und ein reduktionistisches Verständnis von Wissenschaft und Praxis ständig in der Gefahr, den Verlust seines Selbstwertes zu erleiden. Er benötigt daher eine Vertrauen stiftende und Halt gebende Begegnung, Unterstützung und Begleitung, die ihm Sinnverwirklichung, Lebensmut und Lebensfreude und Lebensbejahung ermöglichen.

Sinn finden durch Verwirklichung von Werten

Im Zentrum des logotherapeutischen Wahrnehmens und Handelns steht der Mensch in seiner Geistigkeit, in seiner Sinnorientiertheit. Er kann Sinn finden, indem er Werte verwirklicht.

Frankl unterscheidet drei Wertgruppen für die Sinnverwirklichung:

- Werte verwirklichen durch Tätigsein (schöpferische Werte),
- Werte verwirklichen durch Erleben (Erlebniswerte) und
- Werte verwirklichen durch Einstellung zum eigene Leben (Einstellungswerte) (Frankl 1984, S. 202).

Schöpferische Werte

Die kreativen Werte lassen sich durch Spielen, Lernen und Arbeiten, also durch Grundformen der Begegnung und Auseinandersetzung mit der personalen und gegenständlichen Welt verwirklichen. Jeder Mensch will gerade das gestalten, was ihn in seinem Sein und Selbst bestätigt (Bodenheimer 1967), für ihn Sinn und Wert hat.

Der Heilpädagoge kann in der dialogischen Beziehungssituation auf den Gestaltungswillen behutsam hinweisen, auf die in der Situation geborgene Sinnmöglichkeit aufmerksam machen. Den konkreten Sinn aber kann der Andere nur selbst realisieren, indem er schöpferisch tätig ist.

Erlebniswerte

Selbstgestaltete erlebnisreiche Höhepunkte werden Menschen mit Behinderungen in der Regel nur selten zuteil. Sie leben in sozialer Abhängigkeit. Ihr Werktag und ihr Feiertag sind weitgehend geprägt von der Aktivität oder Inaktivität, der Fantasie oder Gleichgültigkeit ihrer Bezugspersonen. Es kann aber auch anders sein.

Bei der Erörterung der Grundlagen der Logotherapie weist Frankl darauf hin, dass für den Menschen mit kognitiver Beeinträchtigung, «der von der Liebe seiner Angehörigen umgeben wird» und «den unersetzlichen und unvertretbaren Gegenstand dieser Liebe darstellt», sein «Leben […] einen Sinn hat» (Frankl 1987b, S. 87). Hier lässt Frankl ein tiefes Verstehen des dialogischen Lebens erkennen, wie es Martin Buber in seinem Grundwort Ich-Du gezeigt hat: Der Mensch kann nur am Du zum Ich werden. In dieser Begegnung von Mensch zu Mensch ereignet sich Geistiges. Dabei spielt der Halt und Schutz gebende Lebensraum eine entscheidende Rolle. In diesem Raum kann er lieben und geliebt werden. Hier erfüllt sich sein «konkreter Lebenssinn» (Frankl 1985, S. 118). Werte des Erlebens, des Fühlens und Beglücktseins werden Realität.

Frankl fragt, ob dies auch für Kinder mit schwerer kognitiver Behinderung zutrifft (Frankl 1985, S. 119). Er zitiert aus dem Brief einer Mutter, die ihr Kind durch die staatlichen Euthanasiemaßnahmen verloren hatte:

> «Das Kind konnte nicht gehen, nicht sprechen, aber ich war jung und gab die Hoffnung nicht auf. [...] Und wenn ich ihre kleinen mageren Händchen um meinen Hals legte und ihr sagte: ‹Hast du mich lieb, Mädi?›, da drückte sie sich ganz fest an mich, lachte und fuhr mir unbeholfen mit den kleinen Händchen ins Gesicht. Da war ich glücklich, trotz allem, unendlich glücklich.» (Frankl 1985, S. 120)

Hier wirkt die aufschließende Kraft des liebenden Vertrauens.

Carl Rogers und Martin Buber führten über die Kraft des Vertrauens ein Gespräch, bei dem Buber sagt:

> «Was er [der psychisch gestörte und behinderte Mensch, F. K.] braucht, ist ein Mensch, dem er nicht nur vertrauen kann, wie ein Mensch dem anderen vertraut, sondern auch ein Mensch, der ihm Sicherheit gibt, dass es einen Boden, eine Existenz gibt; dass die Welt nicht verdammt ist zur Entbehrung, zur Zerstörung, zur Entartung; dass die Welt erlöst werden kann, weil es dieses Vertrauen gibt.» (Buber, zit. n. Lukas 1990, S. 20).

Hier wird der Boden einer gemeinsamen Existenz sichtbar: Vertrauen wird geschenkt und gemeinsam erlebt. Dieses Erlebnis kann heilen und aufrichten. Daraus entstehen Sicherheit, Geborgenheit und ein freudiges Bejahen des gemeinsamen Seins.

Einstellungswerte

Wie trägt der Mensch sein Schicksal? Lässt er sich niederringen, oder bewahrt er eine innere Einstellung, persönliche Werte wie Mut und Würde zu realisieren?

> «Eben in seinem Sichverhalten zu dieser Einengung seiner Möglichkeiten eröffnet sich ein neues, eigenes Reich von Werten, die sicherlich sogar zu den Höchsten gehören. [...] Denn wie der Mensch sich zu einem unabänderlichen Schicksal einstellt, darauf kommt es hier an. [...] Sobald wir aber die Einstellungswerte in den Bereich möglicher Wertkategorien einbezogen haben, zeigt es sich, dass die menschliche Existenz eigentlich niemals wirklich sinnlos werden kann: das Leben des Menschen behält seinen Sinn bis ‹in ultimis› – demnach solange er atmet. [...] Seine Verpflichtung, Werte zu verwirklichen, lässt ihn bis zum letzten Augenblick seines Daseins nicht los. Mögen die Möglichkeiten der Wertverwirk-

lichung noch so eingeschränkt sein – Einstellungswerte zu verwirklichen, bleibt noch immer möglich.» (Frankl 1987b, S. 82 f.)

Wie stellt sich ein Mensch mit einer Behinderung zu seinem unabänderlichen Schicksal ein? Er sagt zu seinem Leben ein uneingeschränktes Ja – ein Trotzdem-Ja. Wir können wahrnehmen, wie er spielt, was er tut und denkt, wie er sich dabei freuen und ärgern oder auf andere zugehen kann. Kurz: Wir erkennen seine bejahende Einstellung zu sich. Dabei sind wir erstaunt, welche menschlichen Kräfte er der wegschauenden und abweisenden Öffentlichkeit entgegensetzen kann.

Er kann sich zu seinem unabänderlichen Schicksal so einstellen, dass er das will, was er kann, und das kann, was er will. Er trotzt den Lebensumständen und kann seine Identität ausbalancieren. So beantwortet er durch sein Können, wie er sein «Mensch-sein» mit «Bewusst-sein» und «Verantwortlich-sein» (ebd., S. 83) lebt. Hier realisiert er Einstellungswerte.

Exkurs: Sinn finden im Verständnis des salutogenetischen Modells

Die im Hinblick auf die drei Sinn- und Wertdimensionen zu realisierenden Orientierungen und Tätigkeiten, die in der Lebenspraxis ineinander übergehen und sich nur theoretisch unterscheiden lassen, finden wir im Gesundheitsmodell der Salutogenese des Medizinsoziologen Aaron Antonovsky bestätigt. Dieses Modell stellt der pathogenetischen Orientierung die salutogenetische Orientierung gegenüber.

Im Zentrum dieses ganzheitlichen Modells steht der Begriff «sense of coherence», der als Kohärenzgefühl nicht ganz zulänglich übersetzt ist. Antonovskys Denken ist durch «sein tiefes Bekenntnis zum jüdischen Glauben» geprägt (Lorenz 2004, S. 20). Als Zeitzeuge des Zweiten Weltkrieges erlebte er, dass viele seiner Verwandten und Bekannten Traumata des Holocausts erlitten hatten und umgebracht wurden. Aus diesem Mitleiden heraus entwickelt er sein auf Sinn hin orientiertes Denken. Es geht ihm letztlich um den Kohärenzsinn.

Die Ausgangsfrage seiner salutogenetischen Betrachtungsweise fokussiert das Gesundsein. Er geht davon aus, «dass Heterostase, Ungleichgewicht und Leid inhärente Bestandteile menschlicher Existenz sind, ebenso wie der Tod» (Antonovsky 1997, S. 8 f.). Und er zeigt das Suchen nach Sinn erfüllenden und bejahenden Bewältigungsmöglichkeiten auf. Gesundsein bemisst sich an der Fähigkeit, mit heterostatischen Einflüssen umzugehen.

«Gesundheit ist Ausdruck der Überwindungsfähigkeit von Krankheitstendenzen, fremden Einflüssen, Attacken [...] und ähnlichem mehr. [...] Ein Kernaspekt des salutogenetischen Prinzips ist also die Fähigkeit des Menschen, sich mit Fremden auseinanderzusetzen und sich in der Auseinandersetzung zu stärken. Das Prinzip der Heterostase bedeutet auch, Stress und Konflikte aushalten zu lernen und nicht in jedem Fall zu vermeiden.» (Glöckler 2003, S. 18).

So kann der Einzelne seine körperliche und seelische Belastbarkeit kennen und weiter ausdehnen lernen. Er entwickelt einen starken Kohärenzsinn und fühlt sich mit den Lebenszusammenhängen in ihrer ganzen Komplexität verbunden. Je stärker der Mensch diese Verbundenheit erlebt, desto klarer wird auch das Gefühl der Sinnhaftigkeit. Er erkennt den Sinnbezug und das Sinnerleben der eigenen Existenz.

Pädagogik der Achtung

Sinn erschließt sich durch Verwirklichung von schöpferischen Werten, Erlebniswerten und Einstellungswerten. In allen drei Dimensionen ist Sinnstiftung dadurch möglich, dass die Individualität des Menschen sich aus dem eigenen Kraftzentrum heraus entwickelt. Diese Erkenntnis verbietet eine Pädagogik des Machens und vertraut auf die zur Entwicklung drängenden Kräfte der Selbstentwicklung.

Stellen wir uns nun die Frage nach der Erziehung und Therapie von behinderten Kindern noch konkreter, so sind wir angesichts der zielorientierten Therapeutisierung des Alltags betroffen. Ein imponierendes begriffliches Imperium mit oft kühnen Konstrukten wurde aufgebaut. Ich stimme Wolfgang Kleinicke zu, wenn er sagt:

> «Wir verletzen ein Grundrecht, das Recht auf Menschenwürde, wenn wir Menschen zu Objekten unserer Lernzielerfüllung machen. Es ist die technokratische Einstellung der nekrophilen Psychologierichtung, wie Erich Fromm es formuliert hat, die Menschen zu Objekten herabwürdigt.» (Kleinicke 1986, S. 40)

Es kommt doch in der «therapeutischen Erziehung» (Klein & Neuhäuser 2006) nicht primär auf Techniken an, sondern darauf, dass wir eine Pädagogik der Achtung und Wertschätzung pflegen und uns bemühen, in der Beziehungssituation für das Kind verlässlich und vertrauenswürdig zu sein. Es geht hier um eine alte pädagogische Weisheit, dass nämlich jeder Mensch ein fundamentales Bedürfnis nach Achtung, nach Seins- und Selbstbestätigung hat. Diese Lebensweisheit wird durch neuere biologische, ökologische und systemische Erkenntnisse gestützt.

Dabei ist von grundlegender Bedeutung, mit welcher Haltung und Einstellung der Heilpädagoge dem Kind begegnet und es auf seinem Lebensweg begleitet. Versucht er in die Erziehungssituation Achtung und Wertschätzung, Bestätigung und Bestärkung so einzubringen, dass sich das

Kind in seinem Sein, in seinem Tun und Wollen geachtet, bestätigt und bestärkt fühlt, dann sind beide auf dem richtigen Weg. In dem Maße, in dem der Heilpädagoge das Kind auf diese Weise in seiner Würde achtet, können auch seine seelischen Verletzungen zurückgehen.

Eine Pädagogik der Achtung, die ihrer Praxis das Menschenbild der Existenzanalyse und Logotherapie zugrunde legt, stellt an die Selbsterziehung des Heilpädagogen, an seine Selbstkontrolle und Selbsterkenntnis hohe Anforderungen.

Wer Menschen mit Behinderungen erziehen und begleiten will, muss mit ihnen auf der Grundlage einer persönlichen Lebensbeziehung umgehen. In dieser intersubjektiven Beziehung, die der Heilpädagoge verantwortet, offenbart sich der Sinn des gemeinsamen Weges, sofern in der Beziehung Vertrauen, Achtung, Anerkennung und Bestärkung voraussetzungslos gegeben sind. Und der Heilpädagoge kann die – noch verborgenen – Kräfte im Anderen entwickeln helfen.

Zusammenfassende Impulse für das heilpädagogische Handeln

Frankl weiß sich eins mit Goethe: „Wenn wir die Menschen nehmen, wie sie sind, so machen wir sie schlechter. Wenn wir sie behandeln, als wären sie, was sie sein sollten, so bringen wir sie dahin, wohin sie zu bringen sind.“ (Frankl 1987b, S. 27)

Frankls logotherapeutische Praxis ist durchdrungen von Herzensgüte, Humor und Heiterkeit. Diese Praxis baut auf dem Credo auf, dass auf jedes schmerzliche Leidensschicksal und jede Grenzerfahrung sinnvoll geantwortet werden kann:

> «Der Sinn des Lebens, haben wir gesagt, sei nicht zu erfragen, sondern zu beantworten, indem wir das Leben verantworten. Daraus ergibt sich aber, dass die Antwort jeweils nicht in Worten, sondern in der Tat, durch ein Tun gegeben ist. Auch das Leben fragt uns nicht in Worten, sondern in Form von Tatsachen, vor die wir gestellt werden, und wir antworten ihm auch nicht in Worten, sondern in Form von Taten, die wir setzen.» (Frankl 1988, S. 234)

> «Was aber ist das spezifisch Menschliche? Es ist die geistige Dimension des Menschen. Der Geist, der nicht vom Geist der Eltern ist […] und schon gar nicht Geist der tierischen Ahnen ist. Der Geist, der sich aus Materie nicht ableiten lässt und der folglich auch nicht mit der Materie zerfällt. Der Geist, der jenseits menschlicher Gräber verbleibt.» (Lukas 1990, S. 111 f.)

Literatur

Antonovsky, A. (1997): Salutogenese. Zur Entmystifizierung der Gesundheit. Dgvt-Verlag, Tübingen.

Bodenheimer, A. R. (1967): Versuch über die Elemente der Beziehung. Schwabe, Basel/Stuttgart.

Buber, M. (1984): Das dialogische Prinzip. Lambert Schneider, Heidelberg.

von Ditfurth, H. & Zilligen, D. (1990): Das Gespräch. Claassen, Düsseldorf.

Frankl, V. E. (1977): ... trotzdem Ja zum Leben sagen. Ein Psychologe erlebt das Konzentrationslager. dtv, München.

Frankl, V. E. (1979): Der Mensch vor der Frage nach dem Sinn. Piper, München.

Frankl, V. (1981): Das Leiden am sinnlosen Leben. Herder, Freiburg.

Frankl, V. E. (1982): Der Wille zum Sinn. Hogrefe, Bern.

Frankl, V. E. (1984): Der leidende Mensch. Anthropologische Grundlagen der Psychotherapie. Hogrefe, Bern.

Frankl, V. E. (1985): Die Sinnfrage der Logotherapie. Piper, München.

Frankl, V. E. (1987a): Logotherapie und Existenzanalyse. Piper, München.

Frankl, V. E. (1987b): Ärztliche Seelsorge. Grundlagen der Logotherapie und Existenzanalyse. dtv, München.

Frankl, V. E. (1988): Der unbewußte Gott. Psychotherapie und Religion. dtv, München.

Frankl, V. E. & Kreuzer, F. (1986): «Im Anfang war der Sinn» – von der Psychoanalyse zur Logotherapie. Piper, München/Zürich.

Glöckler, M. (2003): Kindsein heute. Schicksalslandschaft aktiv gestalten. Umgang mit Widerständen – ein salutogenetischer Ansatz. Mayer, Stuttgart/Berlin.

Jung, C. G. (1980): Der Mensch und seine Symbole. Walter, Freiburg im Breisgau.

Kautter, H. (1993): Wunschphantasien zur (sonder-)pädagogischen Diagnostik. In: Langfeldt, H.-P.; Kurth, E. (Hg.): Diagnostik bei Lernbehinderten. Standpunkte und Ergebnisse einer zwanzigjährigen Diskussion. Luchterhand, Neuwied, S. 287–288.

Klein, F. & Schmidt-Thimme, D. (1992): Logotherapie und Menschen mit (sogenannter) geistiger Behinderung. In: Görres, S.; Hansen, G. (Hg.): Psychotherapie bei Menschen mit geistiger Behinderung. Eine Einführung für Heil- und Sonderpädagogen, Erzieher und Eltern. 2., durchges. Aufl., Klinkhardt, Bad Heilbrunn, S. 81–104.

Klein, F. & Neuhäuser, G. (2006): Heilpädagogik als therapeutische Erziehung. Reinhardt, München/Basel.

Kleinicke, W. (1986): Menschenbild, Haltung und Konzeptionen in der Arbeit mit Behinderten. In: Arnoldsheimer Texte: Mit geistig behinderten Menschen zusammenleben. Band 40. Frankfurt, S. 32–44.

Lorenz, R. (2004): Salutogenese. Grundwissen für Psychologen, Mediziner, Gesundheits- und Pflegewissenschaftler. Reinhardt, München/Basel.

Lukas, E. (1990): Geist und Sinn. Logotherapie – die dritte Wiener Schule der Psychotherapie. Psychologie Verlags-Union, München.

Lukas, E. (1993): Von der Trotzmacht des Geistes. Herder, Freiburg.

Rebensteiner-Zips, S. (1996): Laudatio zum 90. Geburtstag von Viktor E. Frankl am 26. März 1995. In: Lukas, E.: Wie Leben gelingen kann. 30 (31) Geschichten mit logotherapeutischer Heilkraft. Quell, Stuttgart, S. 177–190.

Thalhammer, M. (1990): «Si vis vitam, para mortem» (S. Freud). «Wenn du das Leben aushalten willst, richte dich auf den Tod ein». In: Zeitschrift für Heilpädagogik 41, S. 535–545.

Thurnher, E. (1995): Laudatio zur Verleihung der Johann-Wolfgang-von-Goethe Medaille in Gold an Viktor Emil Frankl. In: Logotherapie und Existenzanalyse 3, Sonderheft, S. 18–21.

Sinnorientierte Gestaltung der Erziehung des Kindes

Wie können wir dem Kind eine Stimme gegeben?

Geboten ist ein rückwärtsgewandtes und vernetztes Denken

Die sozial- und geisteswissenschaftliche Forschung steckt in einer tiefen Krise. Die geistes- und sozialwissenschaftliche Forschung befindet sich in einer tiefen Krise. Sie findet keine hinreichenden Antworten auf die herausfordernden Fragen der Gegenwart. Gerade die Pädagogik erkennt die Notwendigkeit, sich alter Einsichten neu bewusst zu werden, über den Tellerrand der eigenen Disziplin hinauszuschauen und interdisziplinär, vernetzt, lebensweltlich und resonanzorientiert zu denken (Hüther 2017, Rosa 2019). Darauf machte bereits der englische Arzt, Sozialpsychiater und Psychoanalytiker Ronald D. Laing aufmerksam.

Jede Theorie muss vom Menschen ausgehen

Pädagogische Fachkräfte brauchen interpersonale Erfahrungen in den vielfältigen Beziehungen. Diese Erfahrungen sind die eigentliche Quelle der eigenen Theorie. Laing hegt ein tiefes Misstrauen gegenüber vermeintlich objektiver Neutralität der Wissenschaft. Er spricht davon, dass «jede Theorie, die nicht vom Menschen ausgeht, Lüge und Betrug an ihm ist» (Laing 1969, S. 46).

Seine Kritik an der hehren Wissenschaft belegt Laing durch Erfahrungen, die er mit psychisch kranken und sozial behinderten Menschen machte. Wenn Begriffe als Vollmachten verstanden werden, die Menschen auf eine bestimmte Art zu behandeln, dann sind diese Begriffe Tatsachen, wie so viele andere Tatsachen unseres Lebens. Laing sagt über die wissenschaftliche Methode:

> «Die Liebe enthüllt Tatsachen, die ohne sie im Dunkeln bleiben. Ein herzloser Intellekt kann nichts anderes tun, als die Hölle seiner eigenen höllischen Konstruktionen mit seinen eigenen höllischen Instrumenten/Mitteln/Methoden zu untersuchen und in der Sprache der Hölle seine eigenen höllischen Schlüsse/Befunde/Hypothesen darzustellen.»

Laing fährt – orientiert an Paracelsus[6] – fort:

6 Paracelsus (1493–1541) war ein Schweizer Arzt, Naturphilosoph, Laientheologe und Sozialethiker. Er legte Wert auf einfache Heilmittel aus der Natur. Zur Erforschung des Lebens und Wirkens von Paracelsus sowie zur Weiterentwicklung der Natur- und Geisteswissenschaften wurde 1941 die Paracelsus-Gesellschaft gegründet; sie löste sich durch das Ende des Zweiten Weltkriegs auf und wurde 1951 als Internationale Paracelsus-

> «Die Heilung kommt aus der Medizin und die Kunst der Medizin entspringt der Barmherzigkeit. Geheilt werden ist also kein Akt des Glaubens, sondern ein Akt des Mitgefühls. Das wahre Fundament der Medizin ist die Liebe.» (Laing 1990, S. 89 f.; Klein & Neuhäuser 2006, S. 56)

Laing kommt mit dem deutschen Physiker, Philosophen und Friedensforscher Carl Friedrich von Weizsäcker (1912–2007) zur Einsicht: «Die wissenschaftliche und technische Welt der Neuzeit ist das Ergebnis des Wagnisses des Menschen, das Erkenntnis ohne Liebe heißt.»(Weizsäcker 1948, S. 132) Diesem Erkennen ohne liebende Hingabe an den Gegenstand ist die Stirn zu bieten.

Gerade die Heilpädagogik, die als vertiefte Pädagogik zu verstehen ist, hat das Kind in seiner bio-psycho-sozialen Ganzheit mit liebender Hingabe zu sehen und Erkenntnisse der Anthropologie (Menschenkunde, Lehre vom Menschen), Medizin, Neurologie, Philosophie, Soziologie, Psychologie und Kunst in ihre Überlegungen zu integrieren und die drei «unverzichtbaren Elemente Bewegung, Spiel und Rhythmik» zu beachten (Klein 2021a).

Erkenntnis für die Praxis

Wissenschaftler der Pädagogik sollen bescheidener werden und vor allem weniger dogmatisch eine Position vertreten. Doch wir beobachten in vielen Fachbüchern das Gegenteil, nämlich einen Expertenstil, der mit großen und eindrucksvollen Worten Sicherheit vermitteln will. Dieser Stil zerstört aber den gesunden Menschenverstand. Darauf machte schon der Erkenntnistheoretiker, Rationalist und Philosoph Karl Popper (1902-1994) aufmerksam: «Wissenschaft und Praxis sind auf dem Weg der Wahrheitssuche – und nicht der Sicherheitssuche.» (Popper 1994, S. 113)

Lebens- und Erziehungszusammenhänge dürfen nicht hinter komplizierten Begriffen verschwinden, und die Intellektuellen dürfen es nicht versuchen, sich ihren Mitmenschen gegenüber als Wissende und Propheten aufzuspielen. Auf dem Weg der Wahrheitssuche ist also Bescheidenheit und Wandel geboten. Diesen Weg ging Janusz Korczak. Seine Pädagogik der Achtung und Liebe (Korczak 1979 und 2018) begegnet dem Kind in Ehrfurcht und gestaltet seine Erziehung sinnorientiert.

Gesellschaft (IPG) erneut gegründet und 2015 wieder aufgelöst. Die Paracelsus-Medaille war viele Jahre die höchste Auszeichnung der deutschen Ärzteschaft.

Sinnorientierung – Fundament pädagogischen Handelns

> «Der Sinn des Lebens sei nicht zu erfragen,
> sondern zu beantworten,
> indem wir das Leben verantworten.»
>
> (Frankl 1988, S. 230)

Vorbemerkungen

Viktor E. Frankl schreibt in seinen Lebenserinnerungen:

> «Während des 2. Weltkrieges, noch bevor ich ins Konzentrationslager kam [...], hatte ich einen bewegenden Traum. Aus einem tiefen Mitleiden mit den Geisteskranken heraus träumte ich eines Nachts, zur Euthanasie bestimmte Leute stellen sich vor einer Gaskammer an, ich überlege kurz und schließe mich ihnen freiwillig an. Man sieht eine Parallele zur Tat des berühmten polnischen Kinderarztes Janusz Korczak, der freiwillig den ihm anvertrauten Waisenkindern ins Gas folgte. Er hat es getan, ich habe es nur geträumt.» (Frankl, zit. n. Klein 1997, S. 14)

Frankl, Professor für Neurologie, Psychiatrie und Psychotherapie in Wien, hat vier Konzentrationslager überlebt. Nach Jahren der Holocaust-Erfahrungen, nach Jahren der Pein und Verzweiflung entwickelt er die Logotherapie, die in der Sinnorientierung die primäre Motivation menschlichen Daseins sieht. Logotherapie sieht den Menschen als Person, der es freisteht, zu den inneren und äußeren Bedingungen ihrer Existenz Stellung zu nehmen.

Frankl sagt mit der «Trotzmacht des Geistes» ein Trotzdem-Ja zum Leben, allen Bedingungen und Umständen zum Trotz. Das zeigt er an vielen Beispielen mit dem ihm eigenen Humor auf, der es verdiene, ein «Existential genannt zu werden» (Frankl 2017, S. 352).

Carl Gustav Jung, Psychologe, Psychiater und Psychotherapeut, hat im Zusammenhang mit seinen Studien über Symbolik, Mythen und Archetypen immer wieder die Frage gestellt, was die unbewusste Psyche über uns denkt. Er hat tief in die menschliche Seele geschaut und erkannt:

> «Der Mensch braucht unbedingt Vorstellungen und Überzeugungen, die seinem Leben einen Sinn geben und ihn in die Lage versetzen, für sich einen Platz im Universum zu finden. Er kann die unglaublichen Leiden ertragen, wenn er davon überzeugt ist, dass sie einen Sinn haben»,

denn die tiefe Sehnsucht des menschlichen Herzens lässt sich nicht mit einem Bankkonto erfüllen. Den Sinn erhält das Leben durch die Liebe, die wir von anderen empfangen und die wir an andere weitergeben (Jung 1980, S. 89 ff.).

Auf diese Sinnfrage ist das Denken Viktor Frankls konzentriert: Es geht im menschlichen Leben nicht primär um Triebbefriedigung (im Sinne Sigmund Freuds) und auch nicht um Kompensation von Minderwertigkeitsgefühlen oder das Erreichen einer Machtposition (im Sinne Alfred Adlers), sondern um ein sinnvolles Tun, für das der Mensch sich frei entscheiden will. Dieser Wille zum Sinn ist eine lebensbestimmende Kraft, die Freuds Wille zur Lust und Adlers Wille zur Macht hinter sich lässt.

Frankl leitete 14 Jahre die Abteilung für suizidgefährdete Frauen der Wiener Psychiatrischen Klinik. Er ging den Ursachen der Depression und des Selbstmordes nach und konnte den Patientinnen ein lebensrettendes Angebot machen. Und in den Konzentrationslagern hat Frankl – von Hunger, Flecktyphus und Zwangsarbeit schwer gezeichnet und mit kaum mehr 40 Kilogramm Gewicht – seine Logotherapie an sich selbst erprobt: Die Orientierung auf Sinn hin ermöglichte ihm das Überleben. Für sein Lebenswerk, das weltweite Anerkennung findet, erhielt Frankl 29 Ehrendoktorate. Seine Bücher wurden in 22 Sprachen übersetzt.

Frankl wies in seinen zahlreichen Studien nach, dass jeder Mensch an einen Sinn glaubt, ob er will oder nicht. Diesem Sinn folgt er dadurch, dass er das Leben durch sein Tun verantwortet. Der heute bei vielen Menschen frustrierte Wille zum Sinn birgt in sich die Chance des Wandels: Indem sich der Mensch einer Aufgabe hingibt, wandelt er sein Denken auf die Sinnfrage hin: Der Mensch nimmt die gegebene Situation wahr und spürt mit seinem «Sinn-Organ», das Frankl als Gewissen bezeichnet, den in der Situation enthaltenen Sinn auf.

Grundkräfte der Selbsttranszendenz und Selbstdistanzierung

Frankl hatte seine Lehre in existenziellen Extremsituationen erprobt (Klein 2018a, S. 46 ff.). Seine Erfahrungserkenntnis lautet: Der Mensch ist ein Wesen, dessen zentrales und aus der Tiefe seiner Person kommendes Charakteristikum das Suchen nach Sinn ist. Die menschlichen Grundkräfte der Selbsttranszendenz der Existenz auf den Logos hin (zum Beispiel erlittene Traumata im Akt der Annahme und Verzeihung ins Geistige transzendieren) und der Selbstdistanzierung (zum Beispiel durch Hinauswachsen über die eigene Emotionalität und Hineinwachsen in Aufgaben, die zu erfüllen sind) ermöglichen jedem Menschen, eine sinnvolle Antwort auf seine Lebenssituation zu finden: Sinn ist keine abstrakte Kategorie, sondern eine konkrete und praktische Möglichkeit des Menschen, sich nach der Sinnperspektive zu orientieren.

Werte verwirklichen

Die in Forschung und im eigenen Leben erkannten Grundkräfte – Selbsttranszendenz und Selbstdistanzierung – ermöglichten Frankl den Weg in ein Reich geistiger Freiheit und inneren Reichtums – und damit das Überleben. «Die Trotzmacht des Geistes» sprach ein eindeutiges Ja zum Leben: Man kann dem

> «Menschen im Konzentrationslager alles nehmen, nur nicht: die letzte menschliche Freiheit, sich zu den gegebenen Verhältnissen so oder so einzustellen. Die geistige Freiheit des Menschen, die man ihm bis zum letzten Atemzug nicht nehmen kann, lässt auch noch bis zum letzten Atemzug Gelegenheit finden, sein Leben sinnvoll zu gestalten.» (Frankl 1977, S. 109)

An Tausenden von Beispielen aus allen Kontinenten konnte nachgewiesen werden, dass Sinnfindung jedem Menschen offensteht, unabhängig vom Intelligenzquotienten und Alter.

Der Mensch ist fähig, sich innerlich von einem Geschehen zu distanzieren und an dem Negativen noch das kleinste Positive herauszufiltern und schöpferische Werte, Erlebniswerte und Einstellungswerte zu realisieren (Klein 2021b):

- Werte verwirklichen durch Tätigsein (schöpferische Werte):
  Die kreativen Werte lassen sich durch Spielen, Lernen und Arbeiten, also durch Grundformen der Begegnung und Auseinandersetzung mit der personalen und gegenständlichen Welt, verwirklichen. Jeder Mensch will gerade das mit Freude gestalten, was in seinen Augen selbst Sinn und Wert hat.
- Werte verwirklichen durch Erleben (Erlebniswerte):
  Diese Werte werden durch Erleben des Ästhetischen, der Kunst und des Harmonischen, des Schönen und Guten, der Freude, der Zufriedenheit und des Glücks verwirklicht. In der Tiefe seiner Existenz erlebt der Mensch einen konkreten Lebenssinn: Werte des Erlebens, des Fühlens und der frohen Gestimmtheit.
- Werte verwirklichen durch Einstellung zum eigenen Leben (Einstellungswerte):
  Wie trägt der Mensch sein Schicksal? Lässt er sich niederringen oder bewahrt er eine innere Einstellung für die Verwirklichung seiner persönlichen Werte?

  > «Eben in seinem Sich-Verhalten zu dieser Einengung seiner Möglichkeiten eröffnet sich ein neues, eigenes Reich von Werten. […] Es zeigt sich, dass die menschliche Existenz eigentlich niemals wirklich sinnlos werden kann: das Leben des Menschen behält seinen Sinn bis ‹in ultimis› – demnach solange er atmet. […] Werte zu verwirklichen, lässt ihn bis zum letzten Augenblick seines Daseins nicht los. Mögen die Möglichkeiten der Wertverwirklichung noch

so eingeschränkt sein – Einstellungswerte zu verwirklichen, bleibt noch immer möglich.» (Frankl 1987, S. 82 f.).

Von der Sinnleere zur Sinnlehre

Frankl hinterfragt die Einstellung des Menschen zu seinem Schicksal. Er fragt nach dem Sinn. Und es bleibt ihm in der Extremsituation äußerster Entmenschlichung der Glaube an den Sinn des Lebens. Der Mensch ist fähig, sich innerlich von einem Geschehen zu distanzieren, sich einem anderen Erleben zuzuwenden und auch an dem Negativen noch das kleinste Positive herauszufiltern, eben ein Ja zum Leben zu sagen: Seine Logotherapie antwortet auf die existenzbedrohende Sinnleere mit einer Sinnlehre.

Gerade Professionellen wird häufig die Erfüllung des Willens zum Sinn versagt. Sie können von einer existenziellen Frustration, einem inneren Ausbrennen bedroht sein, ein negatives Lebensgefühl entwickeln und in ein «existenzielles Vakuum» fallen. Eine Folge dieser inneren Leere kann sein, dass sie nur das tun, was auch die anderen tun. Sie gleichen ihre Gedanken der (vor)herrschenden Meinung an und werden Konformisten. Oder sie tun das, was die anderen von ihnen erwarten: Sie fügen sich der Macht anderer Menschen und werden ihre Untertanen.

Sie haben aber die Möglichkeit, ihre geistige Mitte zu finden: die Mitte menschlichen Seins. Sie tragen ein unbewusst Geistiges in sich, mit dem sie die in jeder Situation verborgene Sinnmöglichkeit aufspüren können. Frankls Sinnlehre bestätigen auch evolutionsorientierten Erkenntnistheorien. Nach ihrer Anschauung repräsentiert der Geist des Menschen, wie der Geist der Menschheit etwas von dem Geist, der vom Anfang an in der Welt wirkt (Klein 2018b, S. 48).

Mit Empathie sich den Aufgaben zuwenden

Frankls logotherapeutische Praxis ist durchdrungen von Herzensgüte, Humor und Heiterkeit. Sie baut auf dem Leitsatz auf, dass auf Grenzerfahrung sinnvoll geantwortet werden kann. Sinn

- verwirklicht sich im Tätigsein für andere Menschen und
- erfüllt das Herz mit Freude und Frohsinn.

Frankl zeigte auf empirischem Weg die unbewusste Religiosität des Menschen auf. Der Mensch glaubt an einen Sinn, ob er will oder nicht. Und er hat diesen Sinn zu beantworten, indem er das Leben durch sein Tun verantwortet. Der heute bei vielen Menschen und Professionen frustrierte Wille zum Sinn birgt in sich die Chance des Wandels: Indem sich der Mensch einer Aufgabe hingibt, wandelt er sein Denken auf die Sinnfrage hin, die für den Philosophen Kant eine transzendentale Kategorie ist. Sinn liegt im menschlichen Sein begründet, das «immer schon ein Sein auf den Sinn hin ist» (Frankl 1988, 73 f.). Er nimmt die gegebene Situation wahr und spürt mit seinem «Sinn-Organ», das Frankl als Gewissen bezeichnet, den in ihr enthaltenen Sinn auf.

Sich auf ein sinnvolles Leben und Arbeiten einlassen

Der Sinnglaube des Menschen liegt im menschlichen Sein begründet, das immer schon ein Sein auf den Sinn hin ist, mag es ihn auch noch so wenig kennen: Es ist das so etwas wie ein Vorwissen um den Sinn (Frankl 1988, S. 73 f.), das uns gerade kleine Kinder zeigen.

Beispiel

Birgit ist sehr nah am Wasser gebaut. Bei der geringsten Gelegenheit muss sie weinen und leidet unter diesem Zwang. Vor allem fällt es ihr schwer, den einmal in Gang gesetzten Tränenfluss wieder zu stoppen. «Zu Hause», so berichtet sie beim Gespräch über ihre Schwäche, «da nehme ich die Katze auf den Schoss und streichle sie, da wird es dann besser». Schlagfertig ruft Hermann ihr zu: «Musst Katze mitbringen.» Alle lachen über diesen Vorschlag, und wir sprechen ausführlich über die Möglichkeit, diesen Vorschlag zu realisieren (Klein 2018a, S. 43).

Sinnstiftung aus dem eigenen Kraftzentrum heraus

Sinnstiftung ist durch Hingabe an eine Aufgabe möglich, bei der die in ihr geborgene Sinnmöglichkeit aus dem eigenen Kraftzentrum gefunden werden kann. Darauf weist auch das Gesundheitsmodell der Salutogenese des Medizinsoziologen Aaron Antonovsky hin: Antonovsky stellt die Salutogenese (von: salus, lat.: gesund, Unverletztheit, Heil, Glück; genese, griech.: Entstehung = Gesundheitsentstehung) der Pathogenese (Krankheitsentstehung) gegenüber. Im Zentrum seiner Lehre steht der Begriff «sense of coherence», das Kohärenzgefühl (Lorenz 2016).

Als Zeitzeuge des Zweiten Weltkrieges erlebte Antonovsky, dass viele seiner Freunde großes Leid und schwerste Traumatisierungen durch den Holocaust erlitten hatten und trotzdem nahezu vollständig genesen konnten. Wesentliche Gesundheitsressource sei ein Kohärenzgefühl, das sich der Erfahrung guter Beziehungen verdanke. Zum Kohärenzgefühl gehört das Verstehen der eigenen Lage und die Überzeugung das eigene Leben sinnvoll zu gestalten. Diese Menschen entwickelten ein auf Sinn hin orientiertes Denken, einen Kohärenzsinn.

Die Ausgangsfrage fokussiert das Gesundsein. Antonovsky geht davon aus, «daß Heterostase, Ungleichgewicht und Leid inhärente Bestandteile menschlicher Existenz sind» (Antonovsky 1997, S. 8). Er zeigt das Suchen nach Sinn erfüllenden und bejahenden Bewältigungsmöglichkeiten auf. Gesundsein bemisst sich an der Fähigkeit, mit heterostatischen Einflüssen umzugehen: Gesundheit ist Ausdruck der Überwindungsfähigkeit von Krankheitstendenzen, fremden Einflüssen, Attacken und Ähnlichem mehr.

Ein Kernaspekt des salutogenetischen Prinzips ist also die Fähigkeit des Menschen, sich mit Fremdem auseinanderzusetzen und sich in der Auseinandersetzung damit zu stärken. Das Prinzip der Heterostase bedeutet auch, Stress und Konflikte aushalten zu lernen und nicht in jedem Fall zu vermeiden. Auf diese Weise kann der Einzelne seine körperliche und seelische Belastbarkeit weiter ausdehnen. Er entwickelt einen starken Kohärenzsinn und fühlt sich mit den Lebenszusammenhängen in ihrer ganzen Komplexität verbunden (Kohärenzgefühl). Er

- hat das Gefühl zu verstehen, was in der Welt geschieht (Verstehbarkeit),
- ist in der Lage, das Verstandene zu gestalten (Gestaltbarkeit) und
- versteht es, das zu gestalten, was ihm sinnvoll erscheint (Sinnhaftigkeit).

Auf der Basis der salutogenetischen Grundprinzipien kann, auch nach Erkenntnissen der Hirnforschung, jeder sein «Wachstums- und Entwicklungspotential zur Entfaltung bringen» (Hüther 2017, S. 49).

Beispiel

Der kritische Sozialwissenschaftler Oskar Negt berichtet in seiner autobiografischen Spurensuche von seinem «Überlebensglück», das er aus der erlebten Praxis gewinnt (Negt 2016). Negt will wissen, was im Spiel ist, wenn aus «schmerzhaften Erfahrungen und schrecklichen Erlebnissen» nicht zwangsläufig Beschädigungen der Person erfolgen, die dazu beitragen, den Opferstatus lebenslang festzuschreiben. Wie konnte es ihm glücken, eine zuversichtliche Lebenseinstellung zu erlangen und sich als autonomes Subjekt zu empfinden?

Immer wieder greift Negt in seiner Spurensuche auf Antonovkys Gesundheitsmodell zurück. Sein Werk gipfelt in dem Plädoyer gegen soziale Kälte und für ein zuverlässiges Verbinden mit den Schwachen, Ohnmächtigen und Verfolgten. Je stärker der Mensch diese Verbundenheit mit dem Anderen erlebt, desto klarer wird auch sein Gefühl der Sinnhaftigkeit.

Negt erkennt den Sinnbezug und das Sinnerleben der eigenen Existenz. Darauf weisen auch die systemisch orientierten pädagogisch-therapeutischen Erfahrungen hin, die bei stark hospitalisierten und traumatisierten Menschen gemacht wurden: Auf der Basis intersubjektiver Beziehungen werden bei ihnen die inneren Ressourcen gestärkt. Sie stabilisieren ihre Gesundheit, entwickeln wieder Vertrauen zu sich selbst und erleben sich als sinnvolle Gestalter ihres Seins (Klein 2018b, S. 128).

Frankl vertieft den Diskurs zum Thema Resilienz

Es geht Frankl nicht darum, das Leiden des Menschen passiv zu ertragen oder schönzureden, sondern um ein Wachsen durch eine tief im Menschen verwurzelte «Trotzmacht des Geistes», modern gesprochen, um die Entwicklung der im Menschen veranlagten resilienten Kräfte, die aus Leid, Krankheit, Verzweiflung oder seelischer Not eben durch diese Resilienz zum Überlebens- oder Kohärenzsinn führt. Frankl appelliert an den Realismus der helfenden Berufe, wenn er die Leidensfähigkeit des Menschen ebenso zum Inventar seelisch-geistiger Reife zählt wie Liebes- und Arbeitsfähigkeit.

Die um Professionalität bemühte Heilpädagogin wird sich als Resilientin des Kindes verstehen und ihre Aufmerksamkeit auf die Ressourcen und Stärken des Kindes richten, ohne dabei die Entwicklungsprobleme zu ignorieren.

Wie kann sie die Resilienz bei Kindern stützen? Resilienz (engl. resilience = Spannkraft, Elastizität, Widerstandsfähigkeit) bezeichnet eine stabile Entwicklung der Persönlichkeit trotz ungünstiger Erfahrungen und Belastungen. Resilienzforschung bestätigt die pädagogische Erfahrung, dass enger, vertrauensvoller Kontakt und verlässliche Beziehungen entscheidend sind für eine autonome, selbstregulierende Entwicklung in Auseinandersetzung mit der Lebenswelt. Die Heilpädagogin ermöglicht und vermittelt Sinn, Halt und Schutz, aber auch Hoffnung, dass sich die Dinge letztlich zum Guten wenden.

Geistige Freiheit ermöglicht den Aufbau des «Inneren Halts»

Frankls Logotherapie antwortet auf die existenzbedrohende Sinnleere mit einer Sinnlehre, die den Aufbau des «Halts» ermöglicht, den der Schweizer Heilpädagoge Paul Moor als Ziel der Erziehung versteht (Moor 1994): Mit sinnsuchender Forscherhaltung kann die Heilpädagogin nach den Impulsen für ihr Handeln fragen, denn der Innere Halt, der als Prozess des individuellen Kindes zu verstehen ist, ist auf einen Äußeren Halt durch die Heilpädagogin angewiesen, der nicht operationalisiert, nicht auf Normen reduziert oder gar fixiert werden darf. «Sinn und Bedeutungszuschreibung ist ein höchst individueller Akt, der immer wieder neu erlebt und erfahren wird» (Palfi-Springer 2019, S. 330).

Den in der Beziehungssituation enthaltenen Sinn erleben

Eine Pädagogik der Achtung, die ihrer Praxis Frankls Logotherapie zugrunde legt, stellt an die Selbsterziehung der pädagogischen Fachkraft Anforderungen im Hinblick auf die sich immer wieder neu stellenden Aufgaben bei der zu gestaltenden Beziehungssituation.

In dieser intersubjektiven Beziehung zeigt sich der Sinn des gemeinsamen Weges, sofern in der Beziehung Vertrauen, Achtung, Anerkennung und Bestärkung voraussetzungslos gegeben sind. Und die Heilpädagogin kann die – noch verborgenen – Kräfte im Kind entwickeln helfen. Ein Trainieren und Üben von Fertigkeiten und eine bloße Übernahme von Kenntnissen spielen eine nachgeordnete Rolle und müssen vom Willen des Kindes her begründbar sein.

Darauf weist Frankls logotherapeutische Praxis nachdrücklich hin: Sie ist durchdrungen von einer Güte im Herzen, von Humor und Heiterkeit. Diese Praxis baut auf dem Credo auf, dass auf jedes schmerzliche Schicksal und jede Grenzerfahrung sinnvoll geantwortet werden kann:

> «Der Sinn des Lebens sei nicht zu erfragen, sondern zu beantworten, indem wir das Leben verantworten. Daraus ergibt sich aber, dass die Antwort jeweils nicht in Worten, sondern in der Tat, durch ein Tun gegeben ist.» (Frankl 1988, S. 234).[7]

Fazit für die Praxis

Heilpädagogik folgt der praktischen Vernunft

Die Arbeit der ersten Heilpädagogen und Heilpädagoginnen bestimmte ein Menschenbild (Klein 2017). Ihrer Erziehungs- und Bildungsarbeit lag eine Vorstellung vom Wesen, Sinn und Zweck des Menschen, also von der Bestimmung des Menschen zugrunde. Wir kennen, um zwei extreme Menschenbilder zu nennen, das Bild vom Menschen als Geschöpf Gottes und das Bild vom Menschen als Säugetier. Und es gibt universalisierende Menschenbilder: der Mensch als Naturwesen, als Ensemble der gesellschaftlichen Verhältnisse oder als Vernunftwesen.

---

7 In der Zeitschrift *Existenzanalyse* (internationale Fachzeitschrift für Psychotherapie, Beratung und Coaching, dem wissenschaftlichen Organ der Internationalen Gesellschaft für Logotherapie und Existenzanalyse) und in zahlreichen berufsbegleitenden logotherapeutischen Ausbildungsstätten auf der ganzen Welt wird Frankls Lehre weiter reflektiert.

Heute werden vor allem Menschenbilder im Hinblick auf die gesellschaftliche Funktion gesehen: Der Homo sociologicus (der von außen gesteuerte, sozialisierte Mensch), der Homo oeconomicus (der wirtschaftende, nutzenorientierte Mensch) oder der Homo oecologicus (der um den Erhalt der Lebenswelt bemühte zukunftsorientierte Mensch). Diesen Menschenbildern und vielen anderen begegnet die Heilpädagogin. Mit ihnen kann sie sich auseinandersetzen und ihren eigenen Weg finden: Sie lernt, wägt ab, prüft, verwirft Gewohntes und Liebgewonnenes, nimmt Neues auf und bildet ihr persönliches Menschenbild weiter, das in ihr professionelles Handeln einfließt. Hier folgt sie der praktischen Vernunft, von der Immanuel Kant spricht. Für Kant sind Erkenntnisprozesse dann möglich, wenn Sinn und Verstand zusammenspielen. Seiner transzendentalen Logik zufolge ist kein Gegenstand der Erkenntnis ohne Sinn gegeben, und ohne Verstand kann kein Gegenstand gedacht werden, was schließlich in den Fundamentalsatz einmündet, dass Gedanken ohne Inhalt leer und Anschauungen ohne Begriffe blind sind.

Die Heilpädagogin benötigt für ihr ehrfürchtiges sinnorientiertes Handeln einen reflektierenden Bezug auf Prinzipien, auf regulative Ideen oder handlungsrelevante begründete Maßnahmen. Als ethisches Prinzip kann Kants Kategorischer Imperativ gelten, denn er fragt nach der Gültigkeit einer Maxime für alle (Klein 2018b, S. 185).

Es ist nicht die Freiheit, die der Handelnde für sich nimmt, sondern es ist die Freiheit, die er dem Anderen gibt. Das Handeln nach dem Kategorischen Imperativ kann Prinzip einer allgemeinen Gesetzgebung (Menschen- oder Grundrechte, Rechte von Menschen mit Behinderung) und des situationsorientierten Handelns sein. Stets muss sich das Prinzip im Handeln zwischen Erzieher und Kind, ebenso im Team, im inter- und transdisziplinären Gespräch, in der Einrichtung und in den Institutionen der Verwaltung und Politik so erweisen, dass es Kants Imperativ nicht verletzt.

Schauen wir Kants Freiheitsbegriff näher an, dann erkennen wir: Der Mensch sollte es wagen, sich seines eigenen Verstandes zu bedienen, der als verbindendes Glied zwischen Person und höherer Instanz zu sehen ist. Es ist im christlichen Verständnis die «innere Stimme», die «Stimme Gottes». Für Kant ist das Gewissen der praktischen Vernunft von vornherein gegeben, das als Grundprinzip «jeglicher Moral vorausgeht. Es gelte deshalb ‹unbedingt› oder ‹kategorisch›, d.h. für alle verbindlich» (Speck 2016, S. 234). Der Kategorische Imperativ schließt die aktive Hilfe und Fürsorge für jeden Menschen ein.

Die ersten Heilpädagoginnen und Heilpädagogen pflegten diese Grundform menschlicher und professioneller Hilfe. Sie reflektierten ihr Handeln auf der Subjektebene und nicht auf der Objektebene, was zu einem Nacheinander, zu einer linearen Abfolge und Datierung geführt hätte. Sie erkannten durch ihr intersubjektives Handeln, dass ihr Helfen etwas zu tun hat mit der «Wiederkehr des Ewig Gleichen». Emil Kobi fasst diese ganzmachende Grundgestalt in folgende Worte: «Was uns auch immer als absonderlich erscheinen mag, hat in einer transzendenten Perspektive doch seinen Sinn und seine Richtigkeit.» (Kobi 2004, S. 260).

Daraus folgt: Erziehung und Bildung dürfen nicht an Maßstäben der Ökonomie und Verwertung orientiert werden. Auch wenn heute pädagogische Ausbildungsstätten durch politische Vorgaben weitgehend den Funktionsbedingungen eines Wirtschaftsunternehmens unterworfen und in den Dienst der Verwertung von Wissen gestellt werden, hat die wertorientierte Pädagogik mit dem vernünftigen Argument zu antworten. Das vertiefte pädagogische Handeln kann

- aus den Quellen des Guten schöpfen,
- eine forschende Grundhaltung pflegen und sich
- an Kants Kategorischen Imperativ orientieren, denn er sagt am deutlichsten aus, wie man handeln soll. Kant sagt schlicht und einfach: Handle so, dass jeder andere Mensch so handeln kann, wie du handelst.

Schauen wir Kants Freiheitsbegriff näher an, dann erfahren wir, dass es jeder Mensch wagen möge, sich seines eigenen Verstandes zu bedienen, der dem Gesetz in uns, nämlich dem Gewissen zu folgen habe, das als Repräsentant Gottes zu denken ist. Dieses umfassende Grundverständnis schließt die aktive Fürsorge für den Anderen mit seinen mir unbekannten, ungewohnten und manchmal auch fremden Eigenschaften mit ein. Hier handelt die Heilpädagogin nicht nach ihren Vorstellungen, vielmehr ermöglicht sie dem Anderen die Freiheit zum eigenen Handeln.

Gefragt ist ein konkretes Denken, das sich auf erlebte Gehalte bezieht, Lebens- und Lernzusammenhänge aufdeckt und ermöglicht, die pädagogische Wirklichkeit zu erleben. Wohl bereichert abstraktes Denken den Verstand, doch es trägt nichts Grundlegendes zum lebenspraktischen Urteilen und Entscheiden bei, das nicht gelehrt, sondern nur in Lebenssituationen erfahren und geübt werden kann. Hier gehen die Begriffe nicht ins Leere, sondern machen das Denken mit den Sinnen begreifbar, das Goethe als das reifste Denken bezeichnet.

Haltung – ein Grundbegriff der Heilpädagogik

In gegenwärtigen wissenschaftlichen Abhandlungen der Pädagogik wird die Haltung kaum thematisiert. Der Begriff scheint zu einer leeren Floskel zu degenerieren, obwohl ihn die empirische Forschung als effektstärksten Wirkfaktor erkennt (Hattie & Zierer 2018).

Annäherung an die Beschreibung der Haltung

Etymologisch weist Haltung auf eine innere Grundhaltung hin, die das Denken und Handeln prägt. Eine pädagogische Fachperson, die aus dieser Haltung heraus wirkt, kann nicht mehr beliebig denken und handeln. Sie hat einen wertbezogenen Standpunkt, sie wird auch die Standpunkte anderer (besonders der Eltern und Therapeutinnen und Therapeuten) gelten lassen und aus der Auseinandersetzung mit diesen den eigenen Standpunkt weiterentwickeln. Durch die Reflexion der eigenen Unsicherheiten wird ein fruchtbarer Selbstbildungsprozess angeregt. Auf diese Weise bilden sich Maßstäbe für ein reflexives heilpädagogisches Handeln aus.

Erziehung darf also nicht wertneutral sein! Wenn ihre Wissenschaftlichkeit mit abstrakten und wertfreien Begriffen bewiesen werden soll, dann verliert sie den konkreten Menschen aus dem Blick. Sie ist in ihren Handlungsfeldern auf wertende Entscheidungen angewiesen, für die Urs Haeberlin (1996, S. 341 ff.) fünf berufsethische Prinzipien formuliert:

- Offenheit gegenüber den konkreten Bedürfnissen und Nöten des hilfsbedürftigen Menschen.
- Jeder Mensch ist Teil der menschlichen Gemeinschaft, sein Lebensrecht darf nicht in Frage gestellt werden.
- Jeder Mensch hat ein Recht auf Bildung und Teilhabe an der Kultur, unabhängig von individuellen Erschwernissen.
- Durch spezialisiertes pädagogisches Handeln optimale Selbstständigkeit und Lebensqualität ermöglichen.
- Individuelle Reflexion der Grundfragen des beruflichen Handelns im Hinblick auf das Gute und Rechte.

Im Zentrum seiner Berufsethik steht die Haltung, die sich zum Maßstab für ein gutes heilpädagogisches Handeln herausbildet und als wertschätzend, ressourcenorientiert und diversitätsbewusst beschrieben werden kann.

Die Reflexion der Haltung kann niemandem aufgenötigt werden, denn jeder hat sie selbst zu leisten. Emil Kobi (2004) bezeichnet Erziehung nicht primär als eine Tätigkeit, sondern als eine Haltung. Diese wird nach dem französisch-litauischen Philosophen Emmanuel Lévinas von einer Sorge gegenüber dem Anderen getragen. Diese Sorge ist etwas ganz Ursprüngliches, weil sie noch vor einem Miteinander existiert. Sie ist tief im Seelischen, im Emotionalen verankert, existiert also vor dem Handeln und ermöglicht erst das kooperierende und kommunikative Handeln aus der Existenz der Person heraus. Anders gesagt: Das Sein der pädagogischen Fachperson ist das erste Wirkende, ihr Tun kommt an zweiter Stelle und zuletzt kommt erst das, was sie redet. An dieser philosophischen Weisheit kann jeder seine Professionalität als nie endende Aufgabe prüfen, die im Grunde Selbsterziehung und Selbstbildung ist und heute mit Selbstmanagement oder Kompetenzausbildung beschrieben wird.

Zusammenfassende Aspekte

Die Heilpädagogin kann mit der «Trotzmacht des Geistes», die heute als Resilienz des Menschen erkannt wird (Batthyány zit. n. Frankl 2017, S. 21), für das Kind da sein, ihm weitestmöglich seine Potenzialentfaltung und Teilhabe am Leben der Menschen im Resonanzraum Erziehungs- und Bildungsstätte ermöglichen. Das zeigt ihr die Haltung der beiden Arztpädagogen Janusz Korczak und Albert Schweitzer, die der Facharzt für Kinderheilkunde Gerhard Neuhäuser in Zusammenarbeit mit dem Autor pflegt und die in der therapeutischen Erziehung[8] konkret wird.

Diese Haltung weist auf innere Grundeinstellung hin, die Denken und Handeln prägt. Wer als Arzt und Pädagoge in dieser Haltung zu wirken sucht, kann nicht mehr beliebig denken und handeln. Er hat einen wertbezogenen Standpunkt, wird aber auch die Standpunkte anderer gelten lassen. Und er kann durch Reflexion der eigenen Unsicherheiten einen fruchtbaren Selbstbildungsprozess anregen. Auf diese Weise bilden sich Maßstäbe für eine reflexive therapeutische Erziehung.

Therapeutische Erziehung darf nicht wertneutral sein! Will sie ihre Wissenschaftlichkeit mit abstrakten und wertfreien Begriffen beweisen, verliert sie den konkreten Menschen aus dem Blick. Sie ist auf wertende Entscheidungen angewiesen.

Das Reflektieren der Haltung kann niemandem aufgenötigt werden. Diese professionelle Aufgabe hat jeder selbst zu leisten und mit Emil E.

---

8 Die handelnde Heilpädagogin braucht für ihre Tätigkeit einen konkreten Wertekodex, dem in dialogischen oder intersubjektiven Handlungssituationen ihre Haltung wie ihre Einstellung entspricht. Diese aber wird geprägt vom Geist der Heilpädagogik, der seit den Ursprüngen der Heilpädagogik von Ärzten und Pädagogen gepflegt wird. Sie verstehen Pädagogik im Vollsinne, die für Neuhäuser und Klein therapeutische Erziehung bedeuten (Näheres in Klein & Neuhäuser 2006, S. 44).

Kobi zu erkennen, dass Erziehung nicht primär eine Tätigkeit bezeichnet, sondern «eine Haltung ist» (Kobi 2004, S. 73), die nach dem französisch-litauischen Sozialphilosophen Emmanuel Lévinas gegenüber dem anderen Menschen um seinetwillen von Sorge getragen wird. Diese Sorge ist etwas Ursprüngliches, weil sie noch vor dem Miteinander existiert. Tief im Seelischen, im Emotionalen verankert, existiert sie vor dem Handeln und ermöglicht kooperierendes und kommunikatives Tun von der Person aus (Lévinas 1995).

Korczaks Interpret Armin Krenz erkennt: Menschen, die sich selbst nicht lieben und achten können und ihre Mitmenschen nicht zu lieben und achten vermögen, müssen Macht, Herrschaft und Kontrolle über das Kind, über andere Menschen und in krankhafter Verzerrung über sich selbst ausüben. Ihr Bewusstsein ist gespalten, was sie zu destruktivem Verhalten gegen sich und andere führt (Krenz 2020).

Geboten ist eine Haltung der Ehrfurcht für das Gestalten einer sinnorientierten Erziehungskunst, die Korczak mit den ihm anvertrauten Waisenkindern pflegte.

Literatur

Antonovsky, A. (1997): Salutogenese. Zur Entmystifizierung der Gesundheit. Dgvt-Verlag, Tübingen.

Batthyány, A. (2017): Die Überwindung der Gleichgültigkeit: Sinnfindung in einer Zeit des Wandels. Kösel, München.

Frankl, V. E. (1977): ... trotzdem Ja zum Leben sagen. Ein Psychologe erlebt das Konzentrationslager. dtv, München.

Frankl, V. E. (1987): Logotherapie und Existenzanalyse. Piper, München.

Frankl, V. E. (1988): Der unbewusste Gott. Psychotherapie und Religion. dtv, München.

Frankl, V. E. (2017): Wer ein Warum zu leben hat: Lebenssinn und Resilienz. Beltz, Weinheim.

Hatti, J. & Zierer, K. (2018): Kenne deinen Einfluss. «Visible Learning» für die Unterrichtspraxis. Schneider Verlag, Baltmannsweiler.

Haeberlin, U. (1996): Heilpädagogik als wertgeleitete Wissenschaft: Ein propädeutisches Einführungsbuch in Grundfragen einer Pädagogik für Benachteiligte und Ausgegrenzte. Verlag Haupt, Bern.

Hüther, G. (2017): Raus aus der Demenzfalle. Goldmann, München.

Lorenz, R. F. (2016): Salutogenese. Ernst Reinhardt Verlag, München, Basel.

Jung, C. G. (1980): Der Mensch und seine Symbole. Walter, Freiburg im Breisgau.

Klein, Ferdinand (1997): Janusz Korczak. Sein Leben für Kinder – sein Beitrag für die Heilpädagogik. 2. Auflage. Klinkhardt, Bad Heilbrunn

Klein, F. & Neuhäuser, G. (2006): Heilpädagogik als therapeutische Erziehung. Ernst Reinhardt Verlag, München, Basel.

Klein, F. (2017): Heilpädagogik im Dialog. BHP-Verlag, Berlin.

Klein, F. (2018a): Inklusive Erziehung in Krippe, Kita und Grundschule. Heilpädagogische Grundlagen und praktische Tipps im Geiste Janusz Korczaks. Osterbrink, München.

Klein, F. (2018b): Mit Janusz Korczak Inklusion gestalten. Vandenhoeck & Ruprecht, Göttingen.

Klein, F. (2021a): Bewegung, Spiel und Rhythmik. Drei unverzichtbare Elemente in der inklusiven Kita-Praxis. Verlag Modernes Lernen, Dortmund.

Klein, F. (2021b): Sinnorientierung – Fundament heilpädagogischen Handelns. In: Schweizer Zeitschrift für Heilpädagogik, Heft 5-6, S. 43–48.

Kobi, E. (2004): Grundfragen der Heilpädagogik. Eine Einführung in heilpädagogisches Denken. BHP-Verlag, Berlin.

Korczak, J. (1979): Wie man ein Kind lieben soll. Vandenhoeck & Ruprecht, Göttingen.

Krenz, A. (2020): Bildungsgut «Märchen». In: KITAleiten – Spezial. Kulmbach, Mediengruppe Oberfranken, Ausgabe 4, S. 1–11.

Laing, R.D. (1990): Die Tatsachen des Lebens. dtv, München.

Laing, R.D. (1969): Phänomenologie der Erfahrung. Suhrkamp, Berlin.

Lévinas, E. (1995): Zwischen uns. Versuche über das Denken an den Anderen. Carl Hanser, München, Wien.

Moor, P. (1994): Heilpädagogik. Ein pädagogisches Lehrbuch. Edition SZH. Verlag Hans Huber, Bern.

Negt, O. (2016): Überlebensglück. Steidl Verlag, Göttingen.

Palfi-Springer, S. (2019): Paul Moor – Impulsgeber einer sinnorientierten Heilpädagogik. Verlag des BHP-Berufs- und Fachverbands GmbH, Berlin.

Popper, K. (1994): Alles Leben ist Problemlösen. Über Erkenntnis, Geschichte und Politik. Piper, München.

Rosa, H. (2019): Resonanz. Eine Soziologie der Weltbeziehung. Suhrkamp, Berlin.

Speck, O. (2016): Spirituelles Bewusstsein: Wissenschaftliche und kulturelle Aspekte – übersinnliche Erfahrungen. BoD Books on Demand.

Weizsäcker, C.F. von (1948): Die Geschichte der Natur: Zwölf Vorlesungen. Hirzel, Stuttgart.

Alt werden: eine Wanderschaft ins Ungewisse

Letzten Endes ist das Altwerden ein Aspekt der Vergänglichkeit
menschlichen Daseins,
aber diese Vergänglichkeit ist im Grunde ein einziger großer Ansporn
zur Verantwortlichkeit –
zur Anerkennung des Verantwortlichseins als Grund- und Wesenszug
menschlichen Daseins.

Viktor E. Frankl

Einleitung

Europas Bevölkerung ist gealtert. Bereits vor Jahrzehnten wurde diese Entwicklung des demografischen Wandels in der westlichen Welt prognostiziert und anhand der sich quasi umkehrenden Alterspyramide (Altersstruktur) beschrieben, die sich 2020 der sogenannten Urnenform annäherte.

Illustration

Neben der sinkenden Geburtenrate stellt die zunehmend hohe Lebenserwartung einen maßgeblichenen Faktor für diesen Strukturwandel dar. Das Statistische Bundesamt verzeichnete 2011 für Deutschland ein Durchschnittsalter der Bevölkerung von 43,9 Jahren, 2020 war es auf 45,7 Jahre gestiegen. Dieser Trend hat über die qualitative Versorgung der älteren Bevölkerung hinaus gravierende Auswirkungen auf den Generationenvertrag, nach dem aus dem Umlageverfahren die Erwerbstätigen die Menschen im Ruhestand mitversorgen sollen. Eine große Welle rollt nun aktuell mit den sogenannten Babyboomern (geburtsstarke Jahrgänge) auf die Gesellschaft zu, und die Kommunen sehen sich vor eine große Herausforderung sowohl hinsichtlich politischer Fragen wie der zu bewältigenden Aufgaben für ein solidarisches, partizipatives und gerechtes intergenerationelles Zusammenleben gestellt.

Gerade im ländlichen Raum

Seit 1993 reagiert der Bund in jeder Legislaturperiode mit einem Altersbericht (Berichte zur Lage der älteren Generation in der Bundesrepublik Deutschland, früher Altenbericht) und nähert sich dieser Problematik aus unterschiedlichen Perspektiven an. Ziel dieser Berichte ist die Erweiterung und Verbreitung des Wissens über Alterungsprozesse und die Lebenssituation der älteren Bürgerschaft. Sie stellen in gewisser Weise auch einen Spiegel der gesellschaftlichen Transformation dar: Herausragend beispielsweise war der fünfte Altenbericht (2005), in dem die alternde Bevölkerungsgruppe als Aktivposten und Wirtschaftsfaktor entdeckt wurde. Der siebte Bericht (2016) erörtert Fragen der Vereinsamung und Mitverantwortung der Kommunen zum Aufbau zukunftsfähiger Gemeinschaften. Der achte Altersbericht (2020) nimmt sich der Thematik der Digitalisierung und deren erfolgsversprechenden Auswirkungen auf die Lebenssituation älterer Menschen an.

Wann ist der Mensch alt?

Der Begriff des Alterns ist diffus und entzieht sich einer allgemeingültigen Definition, wenngleich im Bereich der Wirtschaft die Beschäftigungsquote der über Fünfzigjährigen rapide abnimmt. In der Altersforschung kursieren unterschiedliche Stufenmodelle, die sich vorzugsweise an dem numerischen Alter orientieren. Hier drei (quantitative) Beispiele dazu:

1. Der Zukunftsforscher Horst Opaschowski differenziert drei Stufen des Alters (1998, S. 24):
   50-plus-Generation
   65-plus-Generation
   80-plus-Generation
2. Nach dem Vorschlag der WHO (2002) lässt sich dieser Lebensabschnitt in fünf Stufen unterteilen, der insgesamt eine Spannbreite von vier Jahrzehnten erreichen kann:
   Übergang ins Alter (60- bis 65-Jährige)
   Junge Alte (60- bis 74-Jährige)
   Betagte und Hochbetagte (über 75- bis 89-Jährige)
   Höchstbetagte (90- bis 99-Jährige)
   Langlebige (über 100 Jahre)
3. Eine weitere sozialwissenschaftliche Klassifizierung ist die Einteilung in zwei Gruppen:
   drittes Lebensalter: ab 60 Jahre bis 80/85 Jahre
   viertes Lebensalter: ab 80/85 Jahre (Kruse 2017, S. 29 ff.)

Im wissenschaftlichen Feld der gerontologischen Forschung und Praxis hat sich vor allem die letzte Variante etabliert (ebd., S. 29), der ich mich in diesem Beitrag anschließen möchte, doch ohne im engeren Sinn zwischen diesen beiden Phasen differenzieren zu wollen.

Entscheidend bei aller Beschreibung und Differenzierung der Altersklassifikationen ist jedoch nicht allein das chronologische Alter, sondern das Vermögen der Person, wirksam und positiv Einfluss auf diesen Veränderungsprozess zu nehmen («Trotzmacht des Geistes») und sich der spezifisch humanen Qualität der Selbsttranszendenz bewusst zu sein. Gisela Thiele beschreibt weitere Einflussfaktoren, angesichts derer die Variabilität des Alters um bis zu 15 Jahre divergieren kann (Thiele 2001, S. 17).

Perspektiven der Altersstufen

Das kalendarische Alter allein stellt einen nur unzulänglichen Maßstab für die Änderungen dar, die mit dem Prozess des Alterns einhergehen. Über die somatischen Aspekte hinaus spielen vitale, psychologische, funktionale und soziale Faktoren, aber auch die für den Menschen originär noetische Dimension eine spezifische Rolle hinsichtlich der individuellen Altersqualität. Hier ein kurzer Überblick über die unterschiedlichen Perspektiven:

Das *chronologische oder kalendarische Alter* weist auf die Lebenszeitspanne von der Geburt an hin und erfasst damit die Anzahl der gelebten Jahre. Als rein zeitlicher Faktor des Menschen in Jahren ist diese Perspektive die am wenigsten individualisierte und aus gerontologischer Sicht kaum aussagekräftig, da zwischen Menschen gleichen Alters große Unterschiede bestehen. Chronologisch signifikante Altersstufen dienen vor allem Prozessen gesellschaftlicher Regulierung und sind (willkürlich) gesetzlich statuiert, beispielsweise die Volljährigkeit oder auch das Rentenalter.

Das *biologische Alter* charakterisiert die Vitalkräfte des Körpers, die sich auf die altersbezogene Verfasstheit des Organismus beziehen. Der Alterungsprozess beginnt bereits mit dem Abschluss der Entwicklung des physischen Organismus und kann als ein lebenslanger Verlauf verstanden werden, der, von Abbau- und Verlusttendenzen gezeichnet, letztlich auf den (natürlichen) Tod hinführt (ebd., S. 21 f.). Über erblich bedingte Voraussetzungen oder auch Umweltfaktoren hinaus kann die persönliche Lebensführung Einfluss auf das biologische Alter nehmen und damit eine maßgebliche Divergenz in Bezug auf das kalendarische Alter auftreten.

Das *psychische Alter* ist zum einen auf die Anpassung des Menschen im Zeitablauf (Entwicklungspsychologie) bezogen und drückt sich andererseits im subjektiven Erleben als Selbstwahrnehmung oder Selbstempfindung aus: «Man ist immer so alt, wie man sich fühlt.»

Das *funktionale Alter* beschreibt die Fähigkeiten und Potenziale im Alltag, die durch körperliche Fitness, Alltagskompetenz, Unabhängigkeit und kognitive Leistungsfähigkeit aktiviert werden können.

Das *soziale Alter* schließt alle oben erwähnten Perspektiven mit ein: die chronologische, biologische, psychologische und funktionale Sichtweise auf das Alter. Der soziale Altersbegriff basiert auf gesellschaftlichen Rahmenbedingungen und setzt sich mit dem veränderten Status der Positionen und Rollen im Vergleich zur mittleren Lebensphase auseinander (ebd., S. 18 ff.)

Das Altern vollzieht sich ohne maßgebliche Bindung an das chronologische Alter über den gesamten Lebensverlauf als ein fortwährender, sukzessiver Prozess der Wandlung und Veränderung auf all diesen Ebenen. Es können somit statische (kalendarische) wie dynamische Aspekte zutage treten (Prozess der Entwicklung und Reife). Nach Andreas Kruse ist mit zunehmendem Alter eine signifikante Steigerung von Vulnerabilität zu beobachten (Kruse 2017, S. 29 ff.), somit wird die Altersspanne ab 60 bis etwa 80/85 Jahre (drittes Lebensalter) mit Hoffnung und ab 80/85 Jahre (viertes Lebensalter) mit dem sogenannten «Trauerflor» in Verbindung gebracht (Baltes 1999, S. 445).

Altern wird von vielen Menschen mit einem privaten wie gesellschaftlichen Bedeutungsverlust assoziiert, und es wächst die Sorge der Ablehnung durch andere, der Exklusion aus dem öffentlichen Raum sowie die Furcht vor Vereinsamung und Verletzlichkeit (Kruse 2017, S. 118). Dabei ist die Erfahrung, gebraucht zu werden, eine Quelle subjektiver Sinnerfahrung und gesellschaftlichen Zugehörigkeitsempfindens (ebd., S. 92 f.).

Altwerden ist kein genetisches Programm, sondern eine Herausforderung des Lebens an jeden einzelnen Menschen, die er in seiner «radikalsten Form der Unvollendetheit» zu beantworten hat (Baltes 1999, S. 443). In einem Interview resümiert der renommierte Gerontologe Paul Baltes seine eigenen Alterserfahrungen sowie das Spektrum seiner Jahrzehnte währenden Forschungsfragen und kommt zu folgendem Schluss:

> «Ich sehe das hohe Alter als das letzte Abenteuer des Lebens. Dieses Abenteuer mit Würde durchstehen zu können wird eine der größten individuellen und gesellschaftlichen Herausforderungen des 21. Jahrhunderts sein.» (Schäfer 2007, S. 45)

«Das hohe Alter ist kein Zuckerschlecken» (Paul Baltes)

Altern in einer Gesellschaft des Jugendkults

Traditionell wird die Lebensphase Alter noch immer mit etlichen Negativ-Attributen versehen – etwa Kräfteabbau, Kompetenzverlust, Unproduktivität, Krankheit, Pflegebedürftigkeit – und insbesondere mit der als bedrohlich empfundenen Demenz assoziiert. Termini wie «Alten-», «Pflege-» oder «Rentenlast» suggerieren der Bevölkerung, dass die Gruppe der älteren Menschen Ballast für die Öffentlichkeit darstellt. Positive Aspekte des Alters wie Alterskompetenz oder auch -weisheit bleiben allgemein unbeachtet oder werden mit anderen das Alter betreffenden Faktoren tabuisiert. Sie spielen in einer Gesellschaft, in der Menschsein vorwiegend auf somatische Prozesse reduziert wird und in der es um Jugendlichkeit, Fitness und Selbstoptimierung geht, kaum eine Rolle. Wenngleich viele alte Menschen von ihren Angehörigen versorgt oder gepflegt werden (Ramovš 2006, S. 272), so werden hinsichtlich ihrer gesellschaftlichen Relevanz nicht nur die Qualitäten der älteren Bevölkerung an den Rand der Öffentlichkeit gedrängt, sondern auch die Menschen selbst, die angesichts dieser Verkennung oder Abwertung durch andere maßgeblich in ihrer persönlichen Identität beeinträchtigt werden können. Dies verursacht Leid und Ohnmacht, denn Menschen können sich nur selbst wertschatzen, wenn Ihr konkreter Beitrag für die gemeinsame Lebenspraxis von anderen anerkannt und als wertvoll erachtet wird. Gesellschaftlicher Wert und Würde werden in der gegenwärtigen Zeit meist an den beruflichen Status gebunden, und für viele Menschen hat die Identifikation mit der eigenen beruflichen Tätigkeit neben dem selbstgestaltenden und persönlichkeitsbildenden Einfluss eine große Bedeutung für den Selbstwert. Der Verlust dieser beruflichen Identifikation, gepaart mit dem oftmals einhergehenden schleichenden Kräfteverlust, kann zu einer essenziellen Krise, dem sogenannten «existentiellen Vakuum» (Frankl) führen.

In Verbindung mit der Marginalisierung und Vereinsamung der älteren Bevölkerung kann dieser Bedeutungsverlust so weit gehen, dass sich Menschen auf dem Hintergrund öffentlicher Diskussionen durch individuelle Selbstregulierungsmechanismen schuldig und überflüssig fühlen, keinen Sinn mehr in ihrem Leben sehen oder die eigene Existenz radikal infrage stellen. Der Auszug aus dem folgenden Interview zwischen dem Münchener Erzbischof Reinhard Kardinal Marx und Matthias Gierth im Deutschlandfunk (2014) zum Thema Sterbehilfe bei alten, pflegebedürftigen Menschen skizziert diese Problematik deutlich:

«Es ist ein Signal, das in die falsche Richtung geht [die Sterbehilfe, d. V.]: [...] dass wir die Impulse schwächen in Richtung Hospizarbeit und Palliativmedizin. Wenn wir das erleichtern, laden wir den alten Menschen einen ungeheuren Druck auf. Viele empfinden ja, dass sie überflüssig sind und haben den Eindruck, anderen zur Last zu fallen. Im Grunde genommen wird der Druck auf die Menschen erhöht durch das Signal, man könne sich ja auch selber aus dem Verkehr ziehen und andere helfen dabei. Ich halte das für ein völlig falsches Signal in eine menschenunwürdige Gesellschaft. [...] Es ist eine vielfache Erfahrung in den Hospizen, dass der Wunsch zur Selbsttötung verschwindet, wenn Menschen sich begleitet fühlen und den Eindruck haben: ‹Da sind Menschen, die mir wohlwollen, die zu mir stehen.›»

Doch dieser Verdrängungs- bzw. Exklusionsprozess hat nicht nur für die Bevölkerungsgruppe der älteren Menschen fatale Folgen, sondern auch die jüngeren Generationen werden in Mitleidenschaft gezogen. Ihnen werden die spezifischen Qualitäten der Lebensphase Alter vorenthalten und auch deren Vorbildfunktion, denn alte Menschen «vergegenwärtigen gleichsam das, was auf die jüngeren Menschen zukommt» (Kurz 1991, S. 136).

Im Antlitz des alten Menschen können Jüngere gewissermaßen ihre eigene Zukunft antizipieren und darin erkennen, wer und wie sie selbst in der dritten oder vierten Lebensphase sein könnten. Vorbildfunktion heißt in diesem Fall jedoch nicht, schlichtweg eine Vorlage zu kopieren oder einem Muster nachzueifern, sondern es handelt sich «vielmehr um ein Erfüllenlassen von vorgelebten Seins-Formen, die sich im Existenzvollzug als tragfähig erweisen» (ebd., S. 136). Daher ist es auch für die jüngeren Generationen von größter Relevanz, sich für die Fragen zu öffnen, die das Alter mit sich bringt und sich ihrer konstitutiv-anthropologischen Voraussetzung des «memento mori» («Sein zum Tode») zu stellen. Ansonsten verspielen sie «die Chance, das zu entwickeln, was E. H. Erickson Ich-Integrität genannt hat und verfallen u.U. im Alter, das *sie* dann eines Tages überfällt, dem Lebensekel und Lebensüberdruss» (ebd., S. 137; Hervorhebung im Orig.).

Die französische Philosophin Simone de Beauvoir spricht von einer weitreichenden und essenziellen gesellschaftlichen Aufgabe, wenn sie hinsichtlich der Gefahr der Ausgrenzung und Ghettoisierung alter Menschen darüber nachdenkt, wie eine Gesellschaft aussehen könnte, die alle Lebensalter integriert:

«Die Menschen sollen Menschen bleiben, solange sie leben. [...] Wollen wir vermeiden, dass das Alter zu einer spöttischen Parodie unserer früheren Existenz wird, so gibt es nur eine Lösung, nämlich weiterhin Ziele zu verfolgen, die unserem Leben einen Sinn verleihen: das hingebungsvolle Tätigsein für einzelne, für Gruppen oder für eine Sache, Sozialarbeit, politische, geistige oder schöpferische Arbeit. [...] Das Leben behält seinen Wert, solange man durch Liebe, Freundschaft, Empörung oder Mitgefühl am Leben der anderen teilnimmt. Dann bleiben auch Gründe, zu handeln oder zu sprechen. [...] Besser ist es, nicht zu

> viel ans Alter zu denken, sondern ein möglichst engagiertes, möglichst gerechtfertigtes Menschenleben zu leben, an dem man auch dann noch hängt, wenn jede Illusion verloren und die Lebenskraft geschwächt ist.» (de Beauvoir [8]2000, S. 708)

De Beauvoir kommt letztlich zu dem Schluss, dass es um weit mehr geht als darum, alten Menschen eine Daseinsberechtigung oder einen guten Lebensabend zu ermöglichen, denn es geht ihr um eine radikale Erneuerung der gesellschaftlichen Voraussetzungen durch Integration der Alten:

> «Die Situation der alten Menschen zeigt deutlich das Scheitern unserer Zivilisation auf. In dieser gilt es, den ganzen Menschen zu erneuern und alle zwischenmenschlichen Beziehungen neu zu schaffen. Die alten Menschen müssen kontinuierlich und ihren Kräften gemäß am kollektiven Leben teilhaben. Bildung darf nicht ein lebloses, einmal erworbenes und dann vergessenes Gut sein, sondern Bildung ist idealerweise ein praktisches und lebendiges Wissen, durch das die Menschen kommunizieren und einen sich immer wieder erneuernden Einfluss auf ihre Umwelt haben. Der Mensch ist in jedem Alter ein aktives, nützliches Mitglied der Gesellschaft.» (ebd., S. 711)

Welche spezifischen Qualitäten können im Alter entdeckt werden, um diesen wichtigen Impuls der Transformation zu einer solidarischen, partizipativen und gerechteren Welt, in der alle gleichermaßen an der Weltgestaltung teilhaben dürfen, aufzugreifen und umzusetzen?

Dies soll im nächsten Abschnitt beschrieben und erörtert werden.

Potenziale des Alters zur Erneuerung der Gesellschaft

Sinn-volles Altern als grundlegendes Element einer gerechten Gesellschaft

Wie in jeder Entwicklungsphase stellt das Leben den Menschen auch in der Spanne des Alters seine spezifischen Fragen und eröffnet ihnen damit die Gelegenheit, ihre individuellen Sinnmöglichkeiten in der jeweils konkreten Situation zu entdecken und zu verwirklichen: das heißt, zu ver*antworten.*

Dies vollzieht sich stets im sozialen Feld zwischenmenschlicher Beziehungen, denn:

> «Sinnvoll leben heißt: bedeutsam sein für andere Menschen. Sinn im allgemeinsten Sinne des Wortes, ereignet sich immer in Zusammenhängen, den Sinn-Zusammenhängen.» (Kurz 1991, S. 133)

Zweifellos können alte Menschen ihre Mitwelt durch praktizierende Sorge und tatkräftige Unterstützung fördern oder auch mit ihrem Wissen und Erfahrungsschatz einen Beitrag zur Stabilisierung und Entwicklung nachfolgender Generationen leisten. Maßgeblich ist in dieser Hinsicht jedoch nicht, was ältere Menschen für andere *tun*, sondern wer und wie sie *sind*:

> «Entscheidend ist nicht dasjenige, was die Menschen auch noch in ihrem Alter füreinander tun, entscheidend ist, wer sie sind. Entscheidend ist, wie sie als alte Menschen da sind; wie sie mit ihrer Situation des Altseins umgehen; in welcher Haltung sie das Alt- und Älterwerden ertragen; in welcher Einstellung sie dem Tod entgegengehen. Entscheidend ist, um ein Wort Meister Eckharts sinngemäß zu übertragen, was der alte Mensch noch tun kann, entscheidend ist, *wer er im Grunde seines Lebens ist.*» (ebd., S. 134; Hervorhebung im Orig.).

Wolfram Kurz nennt dies eine «sinnorientierte Seinsweise, die durch Gelassenheit und Heiterkeit geprägt ist» (ebd., S. 138). Die hier gemeinte Heiterkeit sei jedoch nicht zu verwechseln mit der derjenigen der «Leichtzufriedenen und Scheinheiteren», denen andere gegenüberstünden, «deren Heiterkeit nicht Spiel und Oberfläche, sondern Ernst und Tiefe ist», so Kurz zur Verdeutlichung mit einem Zitat aus Hermann Hesses Roman *Das Glasperlenspiel*. Weiter heißt es über den Lehrmeister Magister Ludi Josef Knecht:

> «Einen habe ich gekannt, es war unser ehemaliger Musikmeister [...]; dieser Mann hat in seinen letzten Lebensjahren die Tugend der Heiterkeit in einem solchen Maße besessen, daß sie von ihm ausstrahlte wie das Licht von einer Sonne, daß sie als Wohlwollen, als Lebenslust, als gute Laune, als Vertrauen und Zuversicht auf alle überging und in allen weiterstrahlte, die ihren Glanz ernstlich aufgenommen und in sich eingelassen hatten. [...] Diese Heiterkeit zu erreichen ist weder Tändelei noch Selbstgefälligkeit, sie ist höchste Erkenntnis und Liebe, ist Bejahen aller Wirklichkeit, Wachsein am Rand aller Tiefen und Abgründe [...] sie ist unstörbar und nimmt mit dem Alter und der Todesnähe nur immer zu. Sie ist das Geheimnis des Schönen und die eigentliche Substanz der Kunst.» (Hesse 1943, S. 349 f., zit. n. Kurz 1991, S. 141)

Mit diesem idealen Bild des «homo ludens» soll keinesfalls in Abrede gestellt werden, dass Alter auch mit einer grundlegenden, sukzessiv zunehmenden Vulnerabilität einhergehen kann und alte Menschen vielfach mit Gebrechen, Schmerzen und Leid zu kämpfen haben. Bedeutsam ist jedoch – neben medizinischen und therapeutischen Hilfen –, sich zu diesen meist körperlich oder auch kognitiv evozierten Beschwerden zu verhalten und sich im Eingeständnis der schwindenden physischen Kräfte der Sphäre – oder dem schwebenden «Zauber» – des Seins zu nähern und den Sinn aufleuchten zu lassen.

In dieser Lebensphase geht es nicht mehr um rastlose Tätigkeit, Wachstum, Zweckerfüllung oder Effizienz, kurzum: um die Beherrschung der Welt, sondern um das sensible Hin-fühlen in die Unverfügbarkeit der Welt und des Menschen.

Gilt schon in manchen pädagogischen Richtungen das Prinzip der

Selbstgestaltung («Hilf mir, es selbst zu tun», Montessori), was bedeutet, dass die Mitwelt einen Rahmen zur Entwicklung des Kindes bildet, aber keinen direkten Einfluss nimmt, so ist das Alter geradezu prädestiniert für die Pflege des Gewähren-lassens und eine Kultur des Spielraums. Angesichts des spezifisch humanen Prinzips, Abstand von sich selbst zu nehmen und der damit gegebenen Möglichkeit zur Selbsttranszendenz kann es gelingen, zur Mit- und Umwelt diesen situativ-konkreten Spielraum für das Ereignismoment der Freiheit zu schaffen.

Der Soziologe Hartmut Rosa ([7]2016) spricht hier von der Qualität der «Resonanz» (lat. Widerhall als «Anverwandlung der Welt», bei der der Mensch nicht die Kontrolle über die Dinge und Beziehungen innehat, sondern ein tiefes Verbunden-Sein mit seiner Mit- und Umwelt eingeht. Es handelt sich dabei um die Qualität des Hinhörens oder Lauschens, der essenziellen Wahrnehmung des «Anderen» und des Verzichts auf die volle Autonomie. Eine Kultur der Lücke oder des Sein-lassens gelingt durch eine Öffnung für die Inspiration und Ergriffenheit durch Begegnungen, Orte, Kunst, insbesondere die Musik oder Natur, in denen der Mensch – sich seiner Vulnerabilität gewiss – sich selbst preisgibt und zur Selbsttransformation bereit ist.

Dieser Hinwendung zum Anderen, der gekonnten Bewegung zwischen eigener Zentriertheit und der Fähigkeit der Öffnung zur Welt und des Perspektivwechsels nähert sich der Religions- und Dialogphilosoph Martin Buber ([8]1997) mit den Begriffen der «personalen Vergegenwärtigung» oder des «dialogischen Innewerdens», die sich situativ und jeweils im konkreten Moment mittels der sogenannten «Realphantasie» ereignen können. Der Prozess der Vergegenwärtigung kann nicht erzwungen werden, sondern sich nur «von Gnaden» in einem Raum des Zwischen entfalten:

> «Manche nennen sie Intuition, aber das ist ein nicht ganz eindeutiger Begriff. Ich möchte den Namen Realphantasie vorziehen, denn in ihrem eigentlichen Wesen ist sie nicht mehr Anschauen, sondern ein kühnes, fluggewaltiges, die intensivste Regung meines Seins beanspruchendes Einschwingen ins Andere […].» (S. 286)

Dieses berührende Phänomen des kühnen «Einschwingens ins Andere» macht auf eine Welt der aktiven Stille aufmerksam, die es erlaubt, andere Menschen mitzunehmen in einen tiefen, essenziellen Raum der Begegnung durch Gelassenheit und Heiterkeit. Als die Möglichkeiten eines letzten Wachstumsschritts führen diese zu einem erfüllten Leben in Einfachheit. Diese Einfachheit sei aber nicht zu verwechseln mit Naivität, so Wolfram Kurz:

> «Einfach ist nicht derjenige, der die Komplexität der Welt nicht wahrnimmt, der alles einfach findet, weil er kein Sensorium für die Schwierigkeit und Differenziertheit menschlicher Existenz in der Welt hat. […] Einfach ist derjenige, der,

relativ zu seinen Fähigkeiten, die Kompliziertheit erlebt und durchlitten hat: die Kompliziertheit, in der Welt zu sein, mit anderen zusammen zu sein, sich selbst ausgeliefert zu sein; und der es am Ende doch gelernt hat, die wenigen wesentlichen Dinge von der Fülle der unwesentlichen zu unterscheiden, und der es darüber hinaus auch gelernt hat, sich gerade in der letzten Phase des Lebens aufs Wesentliche zu konzentrieren.» (Kurz 1991, S. 143)

Durch Praxis und Übung dieser altersadäquaten Kompetenzen der Gelassenheit, Heiterkeit und Einfachheit können alte Menschen einen bedeutsamen, ja heilsamen Beitrag zu einer menschenwürdigen, partizipativen und solidarischen Gesellschaft leisten und sich damit in den so dringend notwendigen Transformationsprozess wirksam einbringen. Ein zugestandener (Spiel-)Raum erfüllter und altersspezifischer Entfaltung erlaubt allen Generationen elementare Sinnerfahrungen, denn sinnvoll leben heißt, bedeutsam sein füreinander. Alte Menschen dürfen sich ihrer Bedeutsamkeit für die jüngeren gewiss sein, wenn sie deren Wertschätzung und Anerkennung für ihre spezifischen Qualitäten erfahren, die Jungen können am Vorbild eines gelungenen Existenzvollzugs bis ins hohe Alter hinein lernen, in Gelassenheit und Heiterkeit zuversichtlich einer eigenen sinnerfüllten Phase des Alterns entgegenzusehen.

Anregungen aus Logotherapie und Existenzanalyse zur Lösung der gegenwärtigen Aufgaben im intergenerationalen Zusammenleben

Viktor Frankls Anthropologie stellt eine gute Grundlage zum Verständnis der oben beschriebenen Sachlage hinsichtlich der Frage des Alterns und des intergenerationalen Zusammenlebens dar. Zugleich finden sich aber auch Optionen und Möglichkeiten zur Lösung dieser Herausforderungen. Im Folgenden werde ich einige signifikante Motive und Ideen anführen, die m.E. von besonderer Relevanz in diesem Kontext sind und Antworten aus dem Spektrum der Logotherapie und Existenzanalyse auf die brennenden Fragen der alternden Gesellschaft bieten könnten.

1 Die elementare Basis der Logotherapie und Existenzanalyse ist die Dreidimensionalität des Menschen, d.h. eine Einheit von Körper, Psyche und Person. Unter der noetischen als der wesentlichen und lenkenden Dimension gilt es, einen sinnvollen Standpunkt zu den physio-bio-psychosozialen Bedingungen einzunehmen, um in Verantwortung und Freiheit zu handeln:

«[...] immer nimmt der Mensch als Geist zu sich als Leib und Seele Stellung, immer steht der Mensch als Geist sich selbst als Leib und Seele gegenüber. Was er sich selbst gegenüber hat, ist Leib und Seele; was Leib und Seele gegenüber ist, ist Geist. [...] Der Mensch hat Leib und Seele – aber ist Geist. Nun, in gewissem Sinne gilt jedoch auch: Leib und Seele haben ihn, den Menschen; denn nur sofern der Mensch Geist ist, ist er unbedingt: als Mensch schlechthin ist und bleibt er jedoch ein bedingter.» (Frankl [4]2018, S. 112)

2 In diesem kurzen Zitat klingt bereits ein weiteres zentrales Motiv in Frankls Anthropologie an: die elementare Fähigkeit des Menschen zur Selbstdistanzierung und die konstitutive Weltoffenheit, wie sie beispielsweise in der philosophischen Anthropologie (Scheler, Gehlen) beschrieben wird. Frankl spricht hier auch von der Selbsttranszendenz, «denn Mensch sein heißt auch schon über sich hinaus sein» (Frankl [9]2019, S. 54):

«Darunter verstehe ich den grundlegenden anthropologischen Tatbestand, dass Menschsein immer über sich selbst hinaus auf etwas verweist, das nicht wieder es selbst ist, – auf etwas oder auf jemanden: auf einen Sinn, den da ein Mensch erfüllt, oder auf menschliches Sein, dem er da begegnet. Und nur in dem Maße, in dem der Mensch solcherart sich selbst transzendiert, verwirklicht er auch sich selbst; im Dienst an einer Sache – oder in Liebe zu einer anderen Person.» (Frankl 2002, S. 80)

Diese Intentionalität, das Ausgerichtetsein auf jemanden oder etwas ruht auf drei grundlegenden Annahmen, die Elisabeth Lukas auch die drei Säulen der Logotherapie nennt (Lukas [4]2014): die Freiheit des Willens, der Wille zum Sinn und der Sinn des Lebens.
Insbesondere die zweite und dritte Säule sind wichtig in unserem Kontext, da zum einen der Wille zum Sinn als motivationstheoretisches Konzept in Logotherapie und Existenzanalyse Wert- und Sinnzusammenhänge repräsentiert:

«Das Motivationskonzept vom ‹Willen zum Sinn› besagt, dass jeder Mensch von einem Streben und Sehnen nach Sinn beseelt ist. Bei der Sinnerfüllung treffen zwei Entsprechungen aufeinander: Ein ‹innerer› Anteil, eben dieses Streben und Sehnen des Menschen, sowie ein ‹äußerer Anteil›, das Sinnangebot der Situation.« (Lukas [4]2014, S. 15)

Doch der Wille zum Sinn darf nicht im Sinne einer Aufforderung missverstanden werden, denn an «den Willen zum Sinn appellieren heißt vielmehr, den Sinn selbst aufleuchten zu lassen – und es dem Willen zu überlassen, ihn zu wollen» (Frankl [9]2019, S. 112).
Zum anderen geht Logotherapie von einem sinnzentrierten Menschenverständnis aus. Was aber bedeutet Sinn? Eigentlich sei die Frage nach dem «Sinn des Lebens» falsch gestellt und sinnlos, so Frankl, sofern sie sich nur allgemein auf das Leben beziehe und nicht auf die jeweilige konkrete Existenz. Die dritte Säule, der «Sinn des Lebens», ist daher phi-

losophischer Natur und deutet auf die konkrete Einzigkeit und Unverwechselbarkeit sowohl der Person als auch der Situation hin:

> «Die Person hat den Sinn der Situation zu erfassen und zu ergreifen, wahrzuhaben, wahrzunehmen und wahr zu machen, nämlich zu verwirklichen. Der Sinn ist auf Grund seiner Situationsbezogenheit auch selber einmalig und einzigartig, und diese Einheit ‹des Einen, das not tut› macht dessen Transsubjektivität aus – macht aus, dass der Sinn nicht von uns gegeben wird, vielmehr eine Gegebenheit ist, mag deren Wahr-nehmung und Ver-wirklich-ung auch noch sosehr der *Subjektivität menschlichen Wissens und Gewissens* unterstellt sein.» (ebd., S. 86; Hervorhebung im Orig.)

So verstanden, bedeutet Selbstverwirklichung nicht das Streben nach gutem Befinden, Glücksmaximierung oder das Ausleben eigener Interessen, sondern die Transformation eines Möglichkeitsraums in einen Wirklichkeitsraum über die Erfüllung der vom Leben gestellten Aufgaben. Als ein vom Leben Befragter hat nicht der Mensch Fragen über den Sinn des Lebens zu stellen, sondern Antworten zu geben und das Leben zu verantworten («Kopernikanische Wendung») (ebd., S. 107).

> «In dem Maße, in dem der Mensch Sinn erfüllt, in dem Maße erfüllt er auch sich selbst: Selbstverwirklichung stellt sich dann von selbst ein, als eine Wirkung der Sinnerfüllung, aber nicht als deren Zweck. » (ebd., S. 112)

Stellt der Mensch sich in dieser Hinsicht einer ihm auferlegten und nicht mehr zu verändernden Leidenssituation, realisiert er nach Frankl die höchste Sinnform. Gerade dem meist schmerzhaften Erleben des physischen Verfalls im Alter lässt sich ein letzter und höchster Sinn abgewinnen, denn «Erfüllen wir nun den Sinn von Leiden, so verwirklichen wir das Menschlichste vom Menschen […]» (Frankl [8]1984, S. 34).

3 Die Verwirklichung des Lebens-Sinns geschieht über das ausgewogene Zusammenspiel von drei Wertekategorien, Frankl nennt sie auch «Hauptstraßen» der Sinnfindung:
- Mit den schöpferischen Werten kann der Mensch im Tätigsein die Wirklichkeit verändern.
- In der aktiven Rezeption von Natur, Kunst und Kultur, aber auch der zugewandten und liebevollen Beziehung zu den Mitmenschen erfährt der Mensch die Erlebniswerte.
- Eine sinnvolle Einstellung zu den Ereignissen im Leben und insbesondere zu unabänderlichen Gegebenheiten charakterisieren die Einstellungswerte (Frankl [9]2019, S. 91 ff.).

Im Alter gilt m.E. den Einstellungswerten der Vorrang zu den anderen Werten, doch niemand ist vor schwierigen Lebensereignissen wie Leid, Schuld oder auch dem Tod gefeit (Frankls «tragische Trias»). Die Konfrontation mit der unlösbaren Tragik von Ohnmacht oder Machtlosigkeit kann der Mensch nur mit einer «sinnvollen» Einstellung ertragen. Gerade im Alter kann die Bedeutung sinngebender Werte angesichts von Verlusten oder auch des Gefühls des Mangels sich maßgeblich verändern und damit die Gefahr entstehen, in eine existenzielle Frustration («existentielles Vakuum») zu geraten. Frankl versteht darunter eine Sinnfindungskrise, die sich als Leiden am sinnlosen Leben äußern kann, ohne einen Krankheitswert zu haben. Dieses «existentielle Vakuum» ist durch eine tiefgehende und fortwährende Sinn- oder Lebensleere, krankhafte Langweile, fehlende Intentionalität und das Gefühl einer Inhaltlosigkeit des Daseins geprägt.

4 Sinn der Gemeinschaft: Das spezifisch Humane zeichnet sich durch Unverwechselbarkeit und Einzigkeit des Menschen aus, aber auch durch Unvollkommenheit und Einseitigkeit. Daher richtet sich der Sinn menschlicher Persönlichkeit auf die Gemeinschaft. Viktor Frankl vergleicht dies mit einem Mosaik:

> Denn so wie die Einzigartigkeit dem Mosaiksteinchen ausschließlich in Bezug auf das Ganze des Mosaiks Wert verleiht, so liegt der Sinn aller persönlicher Einzigartigkeit des Menschen ausschließlich in deren Bedeutsamkeit für ein übergeordnetes Ganzes. So weist der Sinn personaler Existenz als persönlicher, der Sinn menschlicher Person als Persönlichkeit, über ihre eigenen Grenzen hinaus, verweist auf Gemeinschaft; in der Richtung auf Gemeinschaft transzendiert der Sinn des Individuums es selbst.» (ebd., S. 125)

Das heißt, der Mensch steht im physio-bio-psychosozialen Raum in existenzieller Bezogenheit zur Gemeinschaft, um ein sinnerfülltes Leben führen zu können. Zugleich aber ist auch die Gemeinschaft auf die individuellen Existenzen angewiesen, um sinnhaft zu sein.

5 Der sokratische Dialog ist eine Methode des existenziellen Fragens, um die Entdeckung und Verwirklichung des Sinns der Situation zu bewirken. Im Sinne der Mäeutik, der Hebammenkunst, besteht der Anspruch in der Beratungstätigkeit darin, die eigene Person und den eigenen Willen zugunsten der geistigen Selbstfindung des Gegenübers zurückzunehmen. Der Fokus richtet sich dabei auf das menschliche Leben, auf das, was es im engeren Sinn heißt, Mensch zu sein, in welcher Form man seine Existenz zu erfüllen gedenkt und welche Lebensweise für recht und gut befunden wird. Der sokratische Dialog kann zu einer besseren Kommunikation zwischen den Generationen beitragen, indem Narrative guter persönlicher Erfahrungen in Gruppenzusammenhängen oder in Selbsthilfegruppen geteilt werden (Ramovš 2006).

Abschließende Bemerkung

Gelassenheit, Heiterkeit und Einfachheit: Wenngleich idealisierte, aber dennoch zentrale Tugenden im Alter, stehen sie den maßgeblichen Trends und Attributen der heutigen Zeit – etwa rastloser Tätigkeit, Wachstum, Zweckerfüllung oder Effizienz – diametral gegenüber. Hartmut Rosa kennzeichnet in seinen umfassenden soziologischen Analysen (^{2}2013, ^{7}2016, 2018, ^{12}2020) die gegenwärtige Situation zutreffend mit dem von Paul Virilio stammenden Bild des «rasenden Stillstands», da diese Entwicklung die Gefahr eines zunehmend sich verdichtenden und beschleunigenden dynamischen Prozesses birgt, der irgendwann an seine Grenzen gerät. Es liegt auf der Hand, dass die Offenheit für die Qualitäten alter Menschen und deren Integration eine solide Antwort auf diese Problematik geben könnte.

Viktor Frankls Menschenverständnis kann in allen Lebensphasen die Möglichkeit eines wertegeleiteten und sinnerfüllten Lebens erschließen. Ja, gerade in Aussicht des Todes gewinnt das Leben Sinn (Frankl ^{9}2019, S. 118 ff.).

In gegenseitiger Zugewandtheit der Generationen besteht die Chance, in der existenziellen Erfüllung der jeweilig spezifischen Lebensphase Bedeutung füreinander zu gewinnen. Diese sinngewährende Bedeutsamkeit entsteht jedoch nicht in Einsamkeit oder Isolation, sondern kann nur im sozialen Miteinander entstehen. So heißt es denn, einen enttabuisierten und vorurteilsfreien, Martin Buber gemäßen dialogisch-sozialen Raum zu schaffen, in dem sich zwischenmenschliche Begegnung ereignen kann, die die Menschen füreinander öffnet und ein ausgewogenes Geben und Nehmen erlaubt.

Literatur

Baltes, P. B. (1999): Alter und Altern als unvollendete Architektur der Humanontogenese. Zeitschrift für Gerontologie und Geriatrie, No. 32, S. 433–448.

de Beauvoir, S. (^{9}2000): Das Alter. Rowohlt Taschenbuch, Hamburg.

Buber, M. (^{8}1997): Das dialogische Prinzip. Lambert Schneider, Heidelberg.

Bundesministerium für Familie, Senioren, Frauen und Jugend (2020a): Achter Altersbericht. https://www.bmfsfj.de/bmfsfj/ministerium/berichte-der-bundesregierung/achter-altersbericht [Abruf am 2.11.2023].

Bundesministerium für Familie, Senioren, Frauen und Jugend (2020b): Die bisherigen Altersberichte. https://www.achter-altersbericht.de/bisherige-berichte [Abruf am 2.11.2023].

Frankl, V. E. (^{8}1984): Das Leiden am sinnlosen Leben. Psychotherapie für heute. Herder, Freiburg/Basel/Wien.

Frankl, V. E. (2002): Logotherapie und Existenzanalyse. Texte aus sechs Jahrzehnten. Beltz, Weinheim/Basel.

Frankl, V. E. (⁴2018): Der leidende Mensch. Anthropologische Grundlagen der Psychotherapie. Hogrefe, Bern.

Frankl, V. E. (⁹2019): Ärztliche Seelsorge. Grundlagen der Logotherapie und Existenzanalyse. Hogrefe, Bern.

Frankl, V. E. (²2020): Dem Leben Antwort geben. Autobiografie. Beltz, Weinheim.

Hesse, H. (1943): Das Glasperlenspiel. Fretz & Wasmuth, Zürich.

Kruse, A. (2017): Lebensphase Hohes Alter: Verletzlichkeit und Reife. Berlin, Springer.

Kurz, W. (1991): Die Sinnfrage in der letzten Lebensphase – Zur Bedeutung der Logotherapie für die Gerontagogik. In: Kurz, W. (Hg.): Suche nach Sinn. Seelsorgerliche, logotherapeutische, pädagogische Perspektiven. Ausgewählte Aufsätze. Stephans-Buchh. W. Mittelstädt, Würzburg, S. 133–147.

Lukas, E. (⁴2014): Lehrbuch der Logotherapie. Menschenbild und Methoden. Profil, München/Wien.

Marx, R. Kardinal (2014): Das Wichtigste ist die Verkündigung des Evangeliums. Interview der Woche, Deutschlandfunk: https://www.deutschlandfunk.de/zukunft-der-kirche-das-wichtigste-ist-die-verkuendigung-des-100.html [Abruf am 2.11.2023].

Opaschowski, H. W. (1998): Leben zwischen Muß und Muße. Die ältere Generation: Gestern. Heute. Morgen. Germa Press, Hamburg.

Ramovš, J. (2006): Qualitätsvolles Altern und Zusammenleben der Generationen. Die Präventionsbedeutung von Frankls Logotherapie in den zeitgenössischen Programmen für ein qualitätsvolles Altern und Zusammenleben der Generationen. In: Wiesmeyr, O. & Batthyány, A. (Hg.): Sinn und Person. Beiträge zur Logotherapie und Existenzanalyse von Viktor E. Frankl. Beltz, Weinheim/Basel, S. 269–289.

Rosa, H. (²2013): Beschleunigung und Entfremdung. Entwurf einer kritischen Theorie spätmoderner Zeitlichkeit. Suhrkamp, Berlin.

Rosa, H. (⁷2016): Resonanz. Eine Soziologie der Weltbeziehung. Suhrkamp, Berlin.

Rosa, H. (2018): Unverfügbarkeit. Residenz, Wien/Salzburg.

Rosa, H. (¹²2020): Beschleunigung. Die Veränderung der Zeitstrukturen in der Moderne. Suhrkamp, Berlin.

Schäfer, A. (2007): Sehr alt zu werden ist kein Zuckerschlecken. Portrait Paul Baltes. In: Psychologie heute. 33(2), S. 38–45.

Statistisches Bundesamt (2023): Pressemitteilung Nr. 235 vom 20. Juni 2023. https://www.destatis.de/DE/Presse/Pressemitteilungen/2023/06/PD23_235_12411.html#:~:text=Das%20Durchschnittsalter%20der%20Bev%C3%B6lkerung%20sank,Jahre%20auf%2044%2C6%20Jahre [Abruf am 2.11.2023].

Thiele, G. (2001): Soziale Arbeit mit alten Menschen. Handlungsorientiertes Grundwissen für Studium und Praxis. Fortis, Köln.

WHO – Weltgesundheitsorganisation (Hg.) (2002): Aktiv Altern. Rahmenbedingungen und Vorschläge für politisches Handeln. World Health Organization (WHO), Ageing and Lifecourse, Genf. https://iris.who.int/bitstream/handle/10665/67215/WHO_NMH_NPH_02.8_ger.pdf [Abruf am 2.11.2023].

Sinn und Konflikt: Selbsthilfe in Konflikten

Einleitung

Manch eine oder einer stürzt sich darauf und verbeißt sich in ihnen, andere wiederum entziehen sich oder suchen das Weite. Geliebt sind sie keineswegs, und sie werden allenfalls als notwendiges Übel angesehen. Und doch sind sie zutiefst menschlich und quasi allgegenwärtig sowohl in Mikro-, Meso- wie Makrobereichen des Sozialen (Bronfenbrenner [2]1993).

Konflikte gehören zum Leben wie die Liebe oder das Glück, dennoch fühlen sich die meisten Menschen unwohl oder überfordert und scheuen den Umgang damit. Oftmals korrelieren eskalierende Konflikte sowohl für die an ihnen beteiligten Menschen als auch für die sozialen Systeme, in denen diese sich bewegen, mit existenziellen Sinn-Krisen, denn die damit einhergehenden Gefühle von Schmerz oder gar Schuld gehören zu den zutiefst menschlichen Erfahrungen (Glasl 2006, S. 114). Doch trotz aller Probleme und Schwierigkeiten liegt auch eine positive Kraft in ihnen: Konflikte können Signale für überholte Strukturen, Werte oder auch Aufgaben in Gruppen sein. Sie fordern in der Konfrontation mit den Konfliktpartnerinnen und -partnern die Auseinandersetzung mit dem Selbst und führen die Menschen zu Selbsterkenntnis und Selbstentwicklung, indem diese ihre Entscheidungskompetenz entdecken und es lernen, ihre Freiheit dafür einzusetzen, in der Welt verantwortungsvoll zu handeln.

Gefährdete Organisationen

Bei allen Krisen und Konfliktherden, wie sie im sozialen Feld angesichts der Probleme wie etwa «die weltweiten ökologischen Missstände [...] weltwirtschaftliche Fragen [...] ungleiche Verteilung des Wohlstandes» auftreten, scheinen doch «gerade Organisationen, die sich mit Pädagogik, Medizin, Landwirtschaft oder künstlerischen Bereichen befassen», so Friedrich Glasl, «von Konflikten besonders heimgesucht zu werden oder sie sogar anzuziehen – aus vielen auch verständlichen Gründen» (Glasl 2010, S. 9 ff.). Viele dieser Organisationen verstehen sich als ‹wertegeleitete soziale Experimente›, die nach neuen Formen des sozialen Miteinanders suchen. Oftmals finden sich Menschen mit hohen Idealen zusammen, die ihre persönlichen spirituellen Ziele in dem jeweiligen Betätigungsfeld verwirklichen wollen und dieses Engagement als Impuls für kulturelle oder gesellschaftliche Erneuerungs- respektive Veränderungsprozesse begreifen.

Soziale Prozesse, insbesondere sensible oder prekäre soziale Prozesse, werden dabei gerne übersehen oder verdrängt. Glasl meint in diesem Zusammenhang zu beobachten, «dass [...] in anthroposophischen Kreisen die Wahrnehmungsfähigkeit und der Respekt vor Phänomenen im Sozialen schlechter sind als in herkömmlichen Institutionen» (ebd., S. 22), und merkt an anderer Stelle dazu an: «Das Ideal des freien Geisteslebens ist ohne Konfliktfähigkeit nicht zu verwirklichen.» (ebd., S. 11) Das bedeutet, dass neben dem spirituellen Streben eben auch Konfliktfähigkeit als persönliche Kompetenz notwendig ist, um diese Organisationen mit ihren Zielen, Werten und Idealen zu erhalten und die entsprechenden Leitbilder umzusetzen.

Inzwischen findet man zahlreiche Angebote im Bereich der Beratung, Supervision, Konfliktklärung oder auch Mediation. Die mediative Praxis kennt Methoden der Selbsthilfe aus den eigenen Reihen und die Nachbarschaftshilfe, die bis zu einem gewissen Grad innerhalb eines Konfliktgeschehens angezeigt sind, bevor eine professionelle Hilfe erforderlich ist.

Eine elementare Voraussetzung, Konflikte zu bewältigen, besteht jedoch in der Arbeit an der eigenen Person bzw. an der persönlichen Konfliktkompetenz. Martin Buber spricht in seinem Aufsatz mit dem Titel *Der Weg des Menschen nach der chassidischen Lehre* von einem entscheidenden Wendepunkt, bei dem der Mensch in einem Konfliktgeschehen nicht als Individuum im Gegenüberstand zu anderen Individuen zu verstehen sei, sondern als «echte Person, deren Wandlung zur Wandlung der Welt hilft» (Buber [2]2017, S. 38). In der Erkenntnis des eigenen innerpsychischen Anteils am Konfliktgeschehen bestehe die Chance zur Überwindung, indem man beginnt, sich selbst mit einem schöpferischen Akt im Raum der Konfliktsituation – im Inter-esse (lat.: zwischen-sein) – «zurechtzuschaffen» und damit einen Wandel in der Welt zu bewirken:

> «Der Mensch soll zuerst selbst erkennen, dass die Konfliktsituationen zwischen ihm und den andern nur Auswirkungen der Konfliktsituationen in seiner eigenen Seele sind, und dann soll er diesen seinen inneren Konflikt zu überwinden suchen, um nunmehr als ein Gewandelter, Befriedeter zu seinen Mitmenschen auszugehen und neue, gewandelte Beziehungen zu ihnen einzugehen.» (ebd.)

Im Folgenden soll es um die Frage gehen, inwieweit man durch Selbsthilfe eine innere Haltung entwickeln kann, mit der es gelingt, im Raum des Inter-esse die Steuerung innerhalb einer Konfliktdynamik zu erhalten und somit noch Einfluss im Konfliktgeschehen innezuhaben. Hierzu bietet beispielsweise die Logotherapie Viktor Frankls aufschlussreiche Erkenntnisse und Methoden, die für die Arbeit in eskalierenden Konflikten eine große Hilfe sein können (Glasl 2006, S. 114).

Nach der zunächst allgemeinen Definition des Begriffs werde ich auf

Konflikte, Eskalationsstufen und antreibende Dynamiken von Konflikten eingehen. Anschließend erfolgt die Darstellung einiger anthropologischer Aspekte dazu, schließlich folgen praktische Übungen nach Glasl sowie aus dem Spektrum der Logotherapie.

Soziale Konflikte

Begriffsdefinition nach Friedrich Glasl

Nicht jedes zwischenmenschliche Problem oder jede Meinungsverschiedenheit ist gleich als sozialer Konflikt zu verstehen. Auch sachliche Differenzen dürfen ohne Weiteres bestehen, ohne gleich als Konflikt zu gelten. Glasl warnt vor einem inflationären Gebrauch des Konfliktbegriffs: Infolge von modernen Medien und Kommunikationswegen, beispielsweise Tagesmeldungen zu dramatischen Ereignissen, würden Konflikte evoziert oder könnten gegebenenfalls zur «selbstbestätigenden Prognose» eskalieren (Glasl ^{8}2004, S. 14 f.). Ausgehend von der Darstellung und Analyse unterschiedlicher Definitionen, plädiert Glasl für einen differenziellen Begriffskanon und präzisiert diesen zu einer Synthese der Konfliktdefinitionen insbesondere von Ken Thomas, Hugo Prein und Bruno Rüttinger:

- «Sozialer Konflikt ist eine Interaktion
- zwischen Aktoren (Individuen, Gruppen, Organisationen usw.),
- wobei wenigstens ein Aktor
- eine Differenz bzw. Unvereinbarkeit
im Wahrnehmen
und im Denken bzw. Vorstellen
und im Fühlen
und im Wollen
- mit dem anderen Aktor (den anderen Aktoren) in der Art erlebt,
- dass beim Verwirklichen dessen, was der Aktor denkt, fühlt oder will eine Beeinträchtigung,
- durch einen anderen Aktor (die anderen Aktoren) erfolge.»

Dabei geht es nicht um Gewalttaten, sondern Konflikte sind ein interaktiv-reziprokes Geschehen, bei dem eine Diskrepanz im Denken, Vorstellen, Wahrnehmen auch nur eines Beteiligten gegeben sein kann. Dies allein macht jedoch noch keinen sozialen Konflikt aus, denn «die Unvereinbarkeit muss auch im Gefühls- bzw. Willensleben gegeben sein» (ebd., S. 17). Entscheidend ist dabei darüber hinaus der Aspekt, dass wenigstens eine der Konfliktparteien sich in der Verwirklichung ihrer Ideen, Emotionen oder

Absichten eingeschränkt oder behindert fühlt und dies dem anderen Beteiligten unabhängig davon, ob dies von diesem bewusst evoziert ist oder nicht, zuschreibt (ebd.).

Eskalation von Konflikten

In seinem Buch *Konflikt, Krise, Katharsis* (2008) vergleicht der namhafte Konfliktforscher die sukzessive Ausweitung von sozialen Konflikten mit einem Rinnsal, das zu einem Fluss und schließlich zu einem tobenden Strom anschwellen kann. Je mehr Kraft die reißenden Wassermassen entwickeln, desto mehr Eigendynamik entsteht und desto größer ist der Aufwand an Energie, um gegen den Strom anzukommen. Dieses Anwachsen findet nicht fließend statt, sondern erweitert sich Schritt für Schritt bzw. stufenweise, in Eskalationsstufen, wie Glasl sie nennt. Jede Stufe biete die Chance zu einem Innehalten, das die Entscheidung zur weiteren Verschärfung oder Einschränkung des Konflikts anstößt, denn im Prinzip könnten die meisten Menschen oder Kulturen, unabhängig von entsprechenden Theorien, auf ein unbewusst-intuitives Wissen hinsichtlich der Konflikteskalation zurückgreifen. Wie verantwortungsvoll oder auch selbstgesteuert der Mensch mit diesem Wissen agiere, obliege der persönlichen Entscheidung und dem Bewusstseinsgrad der/des Einzelnen. Es liegt somit in der Hand der Akteurinnen und Akteure, inwieweit sie sich in den Mechanismen der Konflikteskalation verlieren und den Prozess dementsprechend verschärfen oder sie deeskalierend handhaben (Glasl ^{2}2008, S. 38 f.).

Eskalationsstufen (nach Friedrich Glasl)

Eskalationsstufe 1: Verhärtung

Positionen «kristallisieren» aus und erstarren gelegentlich, es ist keine vorbehaltlose Öffnung mehr für andere möglich. Die Wahrnehmung wird etwas selektiver, und die Kommunikation leidet darunter. Die Kommunikation gerät hin und wieder in Stagnation, da die Beteiligten zwischen Konkurrenz und Kooperation schwanken. Der Prozess wird verkrampfter, und der Blick fokussiert sich mehr und mehr auf die Spannungen und Entgleisungen. Insgesamt aber besteht das Bestreben und die Zuversicht auf allen Seiten, die Probleme beheben zu können.

Eskalationsstufe 2: Debatte und Polemik

Waren die Gespräche in Stufe 1 noch sachbezogen und im gegenseitigen Zuhören kreativ und anregend, beginnt in Stufe 2 eine mehr rechthaberische Auseinandersetzung. Meinungen polarisieren sich, die Fehler und Schwächen der Gegner werden herausgefiltert und bekämpft. Es finden Scheindiskussionen statt, um die Opponenten mit den eigenen Stärken zu verunsichern. Die Beteiligten führen intellektuelle Wettkämpfe, polemisieren, und bei den Diskussionen macht sich ein Subtext bemerkbar. Der persönliche Status gewinnt an Bedeutung, und die ursprünglich sachlichen Inhalte werden auf die persönliche Ebene verschoben. Es beginnt ein Ringen um Überlegenheit. Unbeteiligte werden als Zuschauer aktiviert und gewinnen in ihrer Zustimmung für die jeweilige Partei an Bedeutung. Es besteht immer noch die Bemühung zur Kooperation, diese wird mehr und mehr durch Differenz und Konkurrenz beherrscht.

Eskalationsstufe 3: Taten statt Worte

Der Glaube an eine verbale Lösung der Streitthemen lässt nach, die Beteiligten handeln nun einfach nach ihrer Überzeugung und stellen die anderen vor vollendete Tatsachen. Die Aufmerksamkeit richtet sich damit vermehrt auf das Nonverbale. Beziehungen sind von Misstrauen geprägt, und in der eigenen Gruppe wird nach Halt gesucht. Es bilden sich nun richtige Parteien mit wachsendem internen Gruppenzwang, bei dem die Interessen der Einzelnen sich denen der Gruppe unterordnen. Es kristallisieren sich bestimmte Rollen heraus. Das Einfühlungsvermögen nimmt ab.

Eskalationsstufe 4: Images und Koalitionen

Bisherige Muster werden zum Gesamtbild der gegnerischen Partei verknüpft und fixiert. Der Feind wird hinsichtlich seines Wissens und Könnens verurteilt, und es besteht kein Korrektiv mehr, sondern eher die Suche nach Bestätigung (self-fulfilling prophecy) des Urteils. Selbstbild und Feindbild driften immer weiter auseinander und damit auch die Einschätzung der ‹Guten› und ‹Bösen› im Konflikt. Es ist ein Spiel der Projektionen, bei dem die unguten und störenden Charaktereigenschaften abgespalten und der Gegnerschaft oktroyiert werden. Hier wird nun auch aktiv um Anhänger geworben.

Eskalationsstufe 5: Gesichtsangriff und Gesichtsverlust

In Stufe 5 werden von einer Partei plötzlich niederträchtige und destruktive Absichten bei den anderen entdeckt und unterstellt. Rückwirkend werden frühere Begebenheiten in das Schwarz-Weiß-Schema hineininterpretiert.

Das Vertrauen in die moralische Integrität geht verloren. Man fühlt sich manipuliert und ent-täuscht. Gute Seiten am anderen sind absurd, demgegenüber wird das Selbstbild maßlos erhöht. Mit allen Mitteln wird versucht, die Feinde zu demaskieren, gleichzeitig werden bislang Unbeteiligte missioniert und überzeugt von der Notwendigkeit, die Gegner auszutilgen. Die Auseinandersetzung wird brutaler, es entstehen Ausgrenzungsdynamiken, Sündenbockmechanismen und verbissene, verzweifelte Kämpfe um Rehabilitation.

Eskalationsstufe 6: Drohstrategien und Erpressung

Es beginnt eine eskalierende Spirale von Drohung und Gegendrohung, Forderungen werden gestellt und Sanktionen angekündigt. Paradoxerweise werden damit Selbstbindungsprozesse angeregt, da die Parteien sich in Handlungsdruck verlieren und zunehmend in Reaktionszwänge geraten. Auch das Umfeld wird vermehrt in Mitleidenschaft gezogen. Der Konflikt wird extrem aufgeheizt infolge des wachsenden Stresses und immer weiteren «Über-Reaktionen» auf allen Seiten.

Eskalationsstufe 7: Begrenzte Vernichtungsschläge

Es bleibt nun nicht mehr beim Säbelrasseln, die Drohungen werden in die Tat umgesetzt. Die Feinde werden verdinglicht, die Beteiligten sprechen sich menschliche Eigenschaften gegenseitig ab. Es wird nicht mehr davor zurückgeschreckt, Sachmittel wie auch Personen zu zerstören. Es gibt nichts mehr zu gewinnen, doch ein Verlust auf der Gegenseite wird als Gewinn auf der eigenen verbucht.

Eskalationsstufe 8: Zersplitterung des Feindes

Hier geht es nun ums Ganze. Mit Besessenheit soll der Gegner vernichtet werden: wirtschaftlich, materiell, psychisch, noetisch.

Eskalationsstufe 9: Gemeinsam in den Abgrund

Es gibt keinen Weg mehr zurück. Die Selbstvernichtung wird beim Zugrunderichten des Feindes ebenso in Kauf genommen wie die Zerstörung des Umfeldes oder die Schädigung der Nachkommen (Glasl [6]2011, S. 96 ff.).

Diese Darstellung umreißt in groben Zügen die signifikanten Merkmale der jeweiligen Stufen. Die einzelnen Eigenschaften sind jedoch nicht als festgelegt oder absolut für die entsprechende Ebene zu verstehen, sondern manifestieren sich im Zusammenwirken und in der Wiederholung verschiedener Mechanismen, die sich letztlich zu einem Hauptmuster formieren und «chronifizieren» (ebd., S. 97).

Selbstansteckungsmechanismen

Eine grundlegende Gefahr hinsichtlich dieser Eskalation besteht in einer Dynamik, bei der die beteiligten Personen zunehmend die Selbststeuerung verlieren und in die sogenannte «Konfliktfalle» geraten (ebd., S. 124). Zu Meinungsunterschieden und sachlichen Differenzen kommen nun Verärgerungen und Differenzen im persönlichen Bereich hinzu. Überdies treten unterschiedliche Deutungen über die Einordnung des Konflikts auf, und es bahnt sich ein «Konflikt über den Konflikt» an, bei dem die Polarisierungen auf der Sachebene wie auf der Beziehungsebene weiter auseinanderdriften. Schließlich beginnen Divergenzen über die Konfliktlösung. In der ersten Phase dieser Dynamik kann man davon sprechen, dass man «einen Konflikt hat»; spätestens wenn der Konflikt über den Konflikt auftritt, nennt Glasl es zutreffender: «Der Konflikt hat uns.» (Glasl 2010, S. 15) Der Prozess gewinnt immer mehr an Eigendynamik, und es stellt sich die Frage, wer die Handlungen der Beteiligten lenkt. Glasl betont in diesem Zusammenhang den ‹Mechanismus›, der mehr und mehr zum Automatismus wird und den bewusst handelnden Menschen verdrängt: «Mit Mechanismus meine ich ausdrücklich, dass in der Seele der Menschen etwas automatisch abläuft – ohne Ich, ohne Bewusstsein: Das Ich, das Selbst spielt immer weniger steuernd und gestaltend mit.» (ebd., S. 14)

Beschleunigende Wirkfaktoren in der Konflikteskalation

Dämonisierte Zone

Martin Buber schildert in seinem Aufsatz *Sein und Scheinen* einige Fallstricke, die in der zwischenmenschlichen Begegnung angesichts der beabsichtigten Wirkung beim anderen entstehen können. Fließen dazu noch Unwahrheiten oder Halbwahrheiten in die Kommunikation, kann das die Verwirrung beträchtlich steigern und zur Bedrohung einer authentischen und wahrhaften Begegnung beitragen. Die folgende Passage veranschaulicht, wie vielschichtig und möglicherweise verwirrend schon eine normale Begegnung zwischen zwei Menschen verläuft, die keinen Konflikt miteinander haben:

> «Stellen wir uns nun zwei Bildmenschen vor, die beieinandersitzen und reden – nennen wir sie Peter und Paul – und zählen die Figurationen nach, die dabei im

Spiel sind. Da sind erst mal der Peter, wie er dem Paul erscheinen will, und der Paul, wie er dem Peter erscheinen will; sodann der Peter, wie er dem Paul wirklich erscheint, Pauls Bild von Peter also, das gemeiniglich keineswegs mit dem von Peter gewünschten übereinstimmen wird, und vice versa; dazu noch Peter, wie er sich selbst, und Paul, wie er sich selbst erscheint. Zu guter Letzt der leibliche Peter und der leibliche Paul. Zwei lebende Wesen und sechs gespenstische Scheingestalten, die sich in das Gespräch der beiden mischen! Wo bliebe da noch Raum für die Echtheit des Zwischenmenschlichen!» (Buber [8]1997, S. 279)

Im Konfliktfall steigert sich diese Dynamik noch einmal gravierend und kann sich angesichts weiterer Faktoren, wie sie im Folgenden aufgeführt werden, sogar potenzieren.

Glasl beschreibt die Konflikteskalation als einen «Abstieg in die Unterwelt», somit als einen Prozess, der in immer tiefere Schichten des individuellen oder auch kollektiven Unbewussten führt. Auf diesem Weg treten Einflüsse auf, die die Dynamik der Eskalation und damit die Fremdsteuerung im Prozess dramatisch beschleunigen. Es werden Teufelskreise angestoßen, die die zwischenmenschliche Kommunikation erheblich und zunehmend trüben, beeinträchtigen, hemmen und korrumpieren. Das Misstrauen wächst, und es entsteht ein «Nährboden für negative Gefühle und Gedanken» (Glasl [2]2008, S. 43). Interaktionen werden gegenseitig verschärft wahrgenommen und in einen reziproken Abrechnungsmodus («Kontokorrentverhältnis») gestellt (ebd., S. 46): Verletzungen, beispielsweise durch unkontrollierte Äußerungen, werden beiderseits höchst sensibel registriert, die verursachende Komponente auf der eigenen Seite aber kaum wahrgenommen oder auch in Abrede gestellt und abgespalten. Meist sind die Auswirkungen unbeabsichtigt oder nur zum Teil gewollt, können aber gerade in ihrer Verleugnung erheblichen Schaden anrichten, denn, so Glasl:

«Vielleicht ist mein Unterbewusstes, mein Unbewusstes, viel aggressiver, als ich mir eingestehe? Vielleicht drängt dieses Unbewusste aber an meiner Aufmerksamkeit vorbei und wird im Sozialen wirksam?» (Glasl 2010, S. 28)

Nicht alles, was zwischen Menschen geschieht, ist durchdrungen vom selbstverantworteten und voll bewussten Denken, Fühlen und Wollen, wodurch Vakua entstehen, die Elementen Tür und Tor öffnen, stellvertretend in unser ‹bewusstseinsgetrübtes› Handeln einzugreifen. Glasl spricht infolgedessen auch von der «dämonisierten Zone», da etwas geschieht, was im Prinzip niemand will. In Rekurs auf Rudolf Steiner führt er «Elementarwesen» an, die wir selbst in unserem zwischenmenschlichen Umgang schaffen:

«Ob und wie solche Elementarwesen wie Phantome, Spektren oder Dämonen entstehen, das hängt davon ab, wie Menschen miteinander umgehen: ob sie lügen, ob sie menschenschädliche Verfahren und Strukturen schaffen oder ob sie einander gegenseitig ihr Denken und Wollen aufdrängen.» (Glasl [2]2008, S. 49)

Diese Elementarwesen (eine weitere Ausführung würde den Rahmen dieser Arbeit sprengen) mischen laut Glasl in menschlichen Differenzen munter mit, bewirken Missverständnisse und tragen somit zur Negativspirale des Konflikts bei.

Doppelgänger

Eine weitere Herausforderung im Konfliktgeschehen ist die Figur des Doppelgängers, der in der anthroposophischen Literatur dem «Höheren Selbst» (Person) gegenübergestellt wird. Im Alltags-Ich versuchen wir die keimhaft in uns lebende Person in unseren Idealen, Zielen und persönlichen Werten zu verwirklichen, stehen aber ebenso vor der Herausforderung, die eigenen Schwächen und Schattenseiten zu erkennen und zu integrieren.

Diese Schattenpersönlichkeit nennt Steiner den Doppelgänger (Lievegoed 1985, S. 86 ff.). Er ist eine vielschichtige Gestalt, die wir selbst im Abspalten unserer eigenen unerwünschten Eigenschaften schaffen und in Übertragungsprozessen auf andere projizieren (Glasl 2010, S. 57). Glasl beschreibt ihn auch als die «Wirkung meines Denkens, meines Fühlens, meines Wollens und Tuns, wann immer die seelischen Tätigkeiten von meinem Selbst nicht durchdrungen und nicht geleitet worden sind» (ebd., S. 35).

Die Menschen werden sozusagen «hellsichtig für das Dunkle im Anderen» und bewegen sich bei eskalierenden Konflikten mehr und mehr auf der Ebene dieser Schattenwelt (ebd., S. 55).

Selbsthilfe in Verantwortung für den Konflikt

Personale Konstitution als Quelle von Konflikten

Neben das dreidimensionale Menschenverständnis Frankls (2006, Näheres dazu im Beitrag über die Grundlagen der Logotherapie und Existenzanalyse) stellt Glasl in Rekurs auf die Anthroposophie Rudolf Steiners die oben bereits beschriebene menschliche Konstitution, gegliedert in die Person, das Alltags-Ich und die Schattenpersönlichkeit. Somit lebt der Mensch mit seinem Alltags-Ich in reziprokem Bezug auf sein soziales Umfeld im Spannungsfeld zwischen diesen beiden intrinsischen Polen. Im Ringen um persönliche Kongruenz wird er angestoßen und herausgefordert zu Resonanz und Entwicklung (Glasl [6]2011, S. 38 f.). In dieser sozialen Interaktion können unausgeglichene und einseitige intrapersonale Spannungen nach außen verlagert und somit zu einer Quelle vielfältiger Irritationen und Missverständnisse werden, die den Konfliktmechanismus mit all seinen Facetten in Gang bringen. Durch Einschränkung der Wahrnehmungen (Röhrenblick), Verzerrungen, Abwehrmechanismen, Projektionen, Zuschreibungen und Fixierungen polarisieren die Konfliktbeteiligten das Bild voneinander immer weiter in Gut und Böse und entfernen sich mehr und mehr von der Realität. Letztlich ist die Kluft so groß, dass die kämpfenden Personen gar nicht mehr präsent sind, sondern: «Es ist vielmehr so: Das Bild, das ich mir von mir selbst aufgebaut habe, kämpft gegen das Bild, das ich mir von meinem Feind gemacht habe und auf das ich mehr und mehr fixiert bin.» (ebd., S. 52)

Konfliktfähigkeit durch Strategien und Übungen der Selbsthilfe

Der Verlauf eines Konflikts ist nun hinreichend und aus verschiedenen Perspektiven beschrieben, und es entsteht gewiss ein geradezu auswegloser Eindruck hinsichtlich einer möglichen Selbstklärung. Es ist dennoch gewinnbringend, bis zur vierten Eskalationsstufe die folgenden Übungen anzuwenden, denn sie ermöglichen es, durch innere Arbeit und Verantwortlichkeit die Konfliktmechanismen zu durchschauen und die Steuerungsmöglichkeit nicht ganz zu verlieren. Darüber hinaus können sie auch in höher eskalierten Konflikten mediative Hilfe unterstützen und für die individuelle Psychohygiene von Vorteil sein, da man damit nicht nur imstande ist, die persönliche Entwirrung aus den Verstrickungen und Fixierungen zu bewirken, sondern auch der Gegner im eigenen Inneren erlöst werden kann (ebd., S. 62). Der Fokus auf den anderen Menschen wird nicht weiter reduziert und festgelegt auf die Schattenseite, und es besteht die Möglichkeit, den Anderen in seinem Ringen um den Ausgleich zwischen den Persönlichkeitsanteilen in sich im Blick zu halten und zu achten.

Glasl beschreibt in seinem Buch *Selbsthilfe in Konflikten* sechs Übungen, die im engeren Sinn für die innere Arbeit geeignet sind. Diese sind:

- Die Rückschau nach Rudolf Steiner
- Inventarisieren der eigenen Ideale und Werte, Stärken und positiven moralischen Eigenschaften
- Das Aufspüren von verschütteten Werten
- Die Suche nach Ähnlichkeiten mit dem Feind
- Überprüfung der Verkettung mit dem Gegner
- Suche nach den «goldenen Augenblicken» im Verhalten des Gegners (Licht und Schatten).

Auf zwei dieser Methoden möchte ich im Folgenden näher eingehen, da ich in der Praxis selbst schon damit gearbeitet und Erfahrungen gesammelt habe.

Anschließend möchte ich kurz auf die gesundende Wirkung künstlerischer Tätigkeit eingehen, wie Elisabeth Lukas dies nahelegt.

Rückschau nach Rudolf Steiner als Methode der Selbst-Distanzierung

Die abendliche Rückschau ist eine Methode, die es erlaubt, einen inneren Abstand zu sich selbst, den Verstrickungen im Alltag und damit zum Konflikt zu gewinnen. Sie ist vergleichbar mit dem Einnehmen der Metaebene des inneren Beobachters auf dem Balkon – wie Doris Klappenbach dies beschreibt –, der dazu anhält, sich besonnen und weniger reagierend zu verhalten (Klappenbach [2]2011, S. 66).

Die Rückschau bietet die Möglichkeit, sich selbst gegenüberzutreten und mit der gewonnenen Distanz zu den Geschehnissen bewusster zu agieren, statt sich dem Eskalationsmechanismus auszuliefern.

Eine Hilfe kann dabei das Bild sein, in seiner Fantasie auf einen Hügel zu steigen und aus dieser Position den Tagesablauf zu betrachten, und zwar in umgekehrter Reihenfolge, vielleicht sogar in der Form, als hätte dies alles schon vor längerer Zeit stattgefunden.

Ein beredtes Beispiel dieser Methode der Distanznahme oder – in Frankls Worten – der «Selbst-Distanzierung» findet sich in einer Passage über seine erschütternden Erlebnisse im Konzentrationslager, als er hungernd und frierend die Schmerzen kaum mehr ertragen konnte und sich Folgendes überlegte:

> «Da gebrauchte er [Frankl meint sich selbst] einen Trick: Er bemühte sich zu diesem ganzen qualvollen Leben Distanz zu gewinnen, sich darüberzustellen, indem er es, wie man sagt, von einer höheren Warte betrachtete, oder vom Gesichtspunkt der Zukunft, im Sinne einer zukünftigen theoretisierenden Betrachtung. Und was tat er? Er stellte sich vor, er stünde vor einem Vortragspult einer Wiener Volkshochschule und hielte einen Vortrag – und zwar darüber, was er gerade erlebte: Im Geiste hielt er einen Vortrag unter dem Titel ‹Psychologie des Konzentrationslagers›.» (Frankl [4]1992, S. 125)

Bei der Rückschau können bedeutsame und weniger bedeutsame Ereignisse des Tages fokussiert und das Spannungsverhältnis zwischen den drei Dimensionen des Menschen in den Blick genommen werden. Die Reflexion darüber, bei welchen Gelegenheiten man der Person Raum lassen konnte oder dem Drängen des Doppelgängers nachgegeben hat, gibt der Übung ebenso eine Struktur wie eine Betrachtung von unbeabsichtigtem Verhalten und dessen Wirkungen bei dem Gegenüber (Glasl [2]2011, S. 63).

Suche nach den «goldenen Augenblicken» im Verhalten des Gegners (Licht und Schatten)

Das Ziel dieser Übung besteht darin, das Gegenüber wieder in seiner Ganzheit zu sehen.

In der Regel werden die intrinsisch auftretenden Gefühle, Gedanken und Vorstellungen als die allgemeingültige und richtige Wahrheit empfunden. Mit dieser Auffassung wird jedoch der Prozess der Eskalationsspirale begünstigt, da man sich angesichts der Gewissheit über die Berechtigung der eigenen Sicht der Dinge immer weiter vom Gegenüber entfernt.

Die folgende Übung macht sich diese Erkenntnis zunutze. Eine Unterstützung kann dabei eine Person des Vertrauens sein:

1 Zunächst wählt man zwei bis vier Episoden, die zur Verschärfung eines Konflikts beigetragen haben, um anschließend einige Momente herauszugreifen, in denen man gemerkt hat, dass der Gegner nicht nur feindlich gesonnen, sondern ein Bemühen um Wohlwollen zu erkennen war.

2 Diesen Moment beschreibt man nun so detailgenau wie möglich, einschließlich der sinnlichen Wahrnehmungen, wie beispielsweise die Temperatur, Farben- und Lichtverhältnisse im Raum.

3 Das gleiche Prozedere wird genauso für die ausgewählten Momente zwei und drei wiederholt.

4 Im Folgenden geht es nun darum, den positiven Intentionen des Gegenübers nachzuspüren, um sodann eine eigene positive Persönlichkeit, eine Märchenfigur daraus imaginativ zu gestalten als ‹Personifizierung der guten Aspekte›.

5 Diese Übung wird nun mit dem Fokus auf die Wahrnehmungen der Negativseite des Gegenübers wiederholt bis hin zur Imagination der Personifizierung des Negativ-Charakters.

6 Im weiteren Verlauf lässt man diese beiden Figuren in Kontakt treten, sie reden und agieren miteinander und es entsteht eine Geschichte, die sich aus der Dynamik des Konflikts und den Charakteren der Figuren ergibt.

Nach dem Erzählen der ganzen Geschichte sollte man sich die Bilder der Geschichte gut einprägen und sie in ruhigen Momenten, beispielsweise am Abend vor dem Schlafengehen, wiederaufleben lassen.

Glasl bezeichnet diese Übung als «goldene Augenblicke», da der im Konflikt eingeengte Röhrenblick erweitert wird und die Sicht auf die positiven Seiten des Anderen zulässt. Das kann man bei etwas Übung auch auf den Alltag übertragen (Glasl ^{6}2011, S. 69).

Künstlerisches Schaffen als psychoedukative Methode

Die Logotherapeutin Elisabeth Lukas empfiehlt in ihrer Publikation *Den ersten Schritt tun*, sich auf den inneren Freiraum zu besinnen und sich in Selbstdistanz zu üben, um das Gesichtsfeld zu erweitern. Als hilfreiches Mittel nennt sie die Aktivierung der schöpferischen Kräfte und animiert zum künstlerischen Schaffen. Hier bieten sich allerlei wirksame Felder an:

> «Die Kunst ist ein sinnstiftendes Medium sondergleichen, und ihre Welt hat zahllose Kammern. […] Wohl dem, der sich beizeiten ein Plätzchen in solch einer Kammer reserviert. Er besitzt ein Refugium, in das er sich aus allen Klemmen, in die er jemals geraten mag, ungehindert zurückziehen kann. Die Kunst wird ihn körperlich-seelisch bergen, geistig nähren, ganzheitlich verwandeln.» (Lukas 2019, S. 208)

Über die Möglichkeit hinaus, Distanz von den Problemen und «Konfliktverdichtungen» im schöpferischen Tun zu gewinnen, kann das konzentrierte Eintauchen in einen künstlerischen Prozess zu Ausgeglichenheit und Gesundung beitragen:

> «Dabei ist es nicht nur der *Abstand*, den er durch den Ausflug in die Kunst gewinnt, […]. Es ist auch ein Stück *Heilung durch Umgewichtung*, das er aus seinem Refugium holt. Die Kunst hat – ähnlich wie der Sinn, mit dem sie wesensverwandt ist – die Kraft, Denkknäuel zu entwirren und Denkinhalte zu sortieren.» (ebd., S. 208 f.; Hervorhebungen im Orig.)

Zusammenfassende Gedanken

Konflikte sind nicht bloß eine potenzielle Gefahr für das soziale Miteinander, sondern auch für die persönliche Entwicklung, die nur in der Selbstverantwortung liegen kann. Ein ungelöster Konflikt hinterlässt immer auch seine Spuren und verfestigt sich in unseren Interaktionsmustern, mittels derer wir gegebenenfalls ein Leben lang mit unterschiedlichen Beteiligten immer wieder die gleichen Themen durchspielen (Berne ²1993).

Wie oben beschrieben, liegt es in der Freiheit des Menschen, sich zu den Dingen und Ereignissen zu verhalten und Stellung zu beziehen. Er kann von sich selbst abrücken und ist in der Lage, die Perspektiven anderer einzunehmen. Dies stellt das spezifisch humane Potenzial auch in sozialen Konflikten dar.

Es liegt somit in unserer Hand, inwieweit wir uns als «willenlose Sklaven» (Buber ²2017, S. 41) diesen (Konflikt-)Mechanismen ausliefern oder aus einer «Erkenntnis der Wende» und innerer Initiative uns dazu zu entschließen, unseren Beitrag zu einer Lösung leisten zu wollen. In diesem Prozess können Menschen aktiv handelnd und wirklichkeitsschaffend zur

Überwindung und zum Wandel eines Konflikts beitragen. Denn, so Buber: «Alles hangt an mir, und durch den Willen der Wende: Ich will mich zurechtschaffen.» (ebd.)

Eine gewisse Zäsur im Verlauf einer Konflikteskalation stellt, wie in diesem Beitrag erörtert, der Schritt vom «Wir haben einen Konflikt» zum «Der Konflikt hat uns» dar. Es entstehen Differenzen über die Bedeutung und Tragweite der Auseinandersetzung und damit letztlich auch über das Eingeständnis, überhaupt einen Konflikt zu haben und ihn nicht zu verleugnen. Hier kommt die Gegenseite ins Spiel, und es kann zu Hilflosigkeit und Ohnmacht führen, die Blockaden im Denken, Fühlen oder Wollen, wie sie in Glasls Definition von sozialen Konflikten beschrieben werden, nicht bearbeiten zu können. Dann bietet es einen gewissen Trost, immerhin Methoden zur Hand zu haben, mit denen es gelingen kann, in Eigenregie innere Arbeit zu leisten und somit die andere Konfliktpartei, aber auch sich selbst aus dem Teufelskreis der «dämonisierten Zone» zu entbinden, vielleicht sogar doch auch einen Anknüpfungspunkt für eine gemeinsame Klärung zu finden.

Es sei noch einmal abschließend erwähnt, dass die angeführten beispielhaften Übungen und die Empfehlung zum kreativen Schaffen in den ersten vier Eskalationsstufen der Selbsthilfe dienen, aber auch später noch einen Mediations- bzw. Konfliktklärungsprozess flankierend unterstützen können. Sie befähigen zur Selbstkontrolle, ermöglichen es, bewusst eine andere Position einzunehmen und dienen daher einem achtsameren Umgang mit dem Gegenüber, aber freilich auch mit sich selbst.

Literatur

Berne, E. (²1993): Spiele der Erwachsenen. Psychologie der menschlichen Beziehungen. Rowohlt Taschenbuch Verlag, Hamburg.

Bronfenbrenner, U. (²1993): Die Ökologie der menschlichen Entwicklung. Natürliche und geplante Experimente. Fischer Taschenbuch Verlag, Frankfurt am Main.

Buber, M. (⁸1997): Das dialogische Prinzip. Lambert Schneider, Heidelberg.

Buber, M. (²2017): Der Weg des Menschen nach der chassidischen Lehre. IV. Bei sich beginnen. In: Schriften zur Psychologie und Psychotherapie. Martin Buber Werkausgabe. Band 10, S. 39–41. Gütersloher Verlagshaus, Gütersloh.

Frankl, V. E. (⁴1992): Die Sinnfrage in der Psychotherapie. Piper, München/Zürich.

Glasl, F. (⁸2004): Konfliktmanagement. Ein Handbuch für Führungskräfte, Beraterinnen und Berater. Haupt, Bern.

Glasl, F. (2006): Die Bedeutung der Sinnfrage für Mediation und Konfliktmanagement. In: Wiesmeyr, O. & Batthyány, A. (Hg.): Sinn und Person. Beiträge zur

Logotherapie und Existenzanalyse von Viktor E. Frankl. Beltz, Weinheim/Basel, S. 114–125.

Glasl, F. ([2]2008): Konflikt, Krise, Katharsis und die Verwandlung des Doppelgängers. Verlag Freies Geistesleben, Stuttgart.

Glasl, F. (2010): Konfliktfähigkeit statt Streitlust oder Konfliktscheu. Verlag am Goetheanum, Dornach.

Glasl, F. ([6]2011): Selbsthilfe in Konflikten. Konzepte – Übungen – Praktische Methoden. Verlag Freies Geistesleben, Stuttgart & Haupt, Bern.

Klappenbach, D. ([2]2011): Mediative Kommunikation: Mit Rogers, Rosenberg & Co. konfliktfähig für den Alltag werden. Junfermann, Paderborn.

Lievegoed, B. (1985): Der Mensch an der Schwelle. Biographische Krisen und Entwicklungsmöglichkeiten. Verlag Freies Geistesleben, Stuttgart.

Lukas, E. (2019): Den ersten Schritt tun. Konflikte lösen, Frieden schaffen. Butzon & Bercker, Kevelaer.

Gabriele Scholtes ist Diplom-Heilpädagogin, Theaterpädagogin, Mediatorin (univ.) und Coach (univ.). Sie studierte an der Cusanus Hochschule für Gesellschaftsgestaltung Philosophie (M. A.) und absolvierte die Ausbildung zur Logotherapeutin am Institut für Logtherapie & Praktische Philosophie in Trier mit den Schwerpunkten Logogerontologie und existenzanalytisches Businesscoaching.

Gabriele Scholtes war Mitbegründerin der Gemeinschaft in Kehna und ist dort leitend tätig. Seit 40 Jahren lebt sie in Gemeinschaft zusammen mit Menschen mit Assistenzbedarf. Daneben war sie als diplomierte Fachjournalistin (FJS) 16 Jahre lang als Redaktionsleiterin der Zeitschrift Seelenpflege in Heilpädagogik und Sozialtherapie und deren Nachfolgezeitschrift Anthroposophic Perspectives in Inclusive Social Development tätig.

Arbeitsschwerpunkte: Anthroposophische Inklusionsagogik, Dialog- und Resonanzphilosophie, Anerkennungstheorie, ethische Fragen, Logotherapie im anthroposophischen Kontext.

Ferdinand Klein, Prof. Dr. phil. Dr. paed. et Prof. h. c., Erziehungswissenschaftler im Fachgebiet Heilpädagogik, arbeitete 20 Jahre als Erzieher, Heilpädagoge und Logotherapeut, lehrte und forschte an sechs Universitäten in Deutschland, Ungarn und der Slowakei im Geiste des polnischen Arztes und Reformpädagogen Janusz Korczak.

Die Gusztáv-Bárczi-Fakultät der Eötvös-Loránd-Universität Budapest würdigte sein wissenschaftliches Werk und seine Verdienste um den Ost-West-Dialog mit der Verleihung eines «Doctor et Professor honoris causa». 2019 wurde ihm für sein sozial- und heilpädagogisches Wirken das Bundesverdienstkreuz am Bande verliehen.

Die Logotherapie Viktor Frankls wurde in Österreich auf Grund eines Gutachtens von Ferdinand Klein von den Krankenkassen anerkannt. Dieses Gutachten kann im Internationalen Archiv für Heilpädagogik eingesehen werden.

Arbeitsschwerpunkte: Ethische Fragen, Forschungsmethoden, Reformpädagogik, Korczakpädagogik, Waldorfpädagogik, Früh- und Elementarpädagogik. Durch Reflexion der aktuellen inklusionspädagogischen, medizinisch-therapeutischen und neurobiologischen Fachliteratur bildet er seinen integralen und transdisziplinären Standpunkt weiter.